MOMENT

本多孝好

集英社文庫

contents

本文デザイン　松田行正

MOMENT

ACT.1 FACE

1

　ふと気づいたときには部屋は赤に染まっていた。一流ホテルのスイートとは言わないまでも、シティホテルのセミスイートくらいの値段はするという。特別室はこの病院で一番見晴らしのいい最上階の角にあった。一般病室よりも一回り大きな窓の向こうでは、沈みかけた夕陽が見下ろす世界のすべてのものに明日の再会を固く約束していた。

　掃除の手を止めて景色に目を奪われていた僕は、太く柔らかな声にベッドのほうを振り返った。僕が入ったときには新聞を読んでいたはずの特別室の主は、いつからか僕と同じように窓の外の夕陽を眺めていた。

「何を考えるか、ですか？」

　赤く染まったその横顔に僕は聞き返した。

「自分が死ぬときに？」

「そう」

　彼は頷《うなず》いた。年は五十代に差しかかった辺りだろうか。豊かなグレーの髪。いくつかの深い皺。太い眉と鼻筋。僕がアルバイトを始めたときには、すでに特別室にいたように思う。とするなら彼は、少なくとも二ヶ月近くこの病院に入院しているということになる。

「死ぬまさにその瞬間、自分は何を思い浮かべると思う？」

まるで夕陽に向かって問いかけるかのように彼は言った。そんなに長く入院しているのだから、もちろんどこかが悪いのだろうが、がっしりした体つきがそれを感じさせなかった。長い入院患者は得てして無精になるものだが、彼はきちんとひげを剃っていたし、髪にもくしが通っていた。ネクタイを締めれば、そのまま一流企業の重役くらいには見栄えがしそうだった。

「わかりませんね」

ごみ箱に入っていたわずかなごみをまとめ、しばらくその場で考えてから僕は答えた。

「結構、馬鹿馬鹿しいことのような気がします。昔、読んだ四コマ漫画の一コマとか」

「四コマ漫画の一コマ？」

夕陽から僕に視線を移して、彼は聞き返した。

「それは、どんなもの？」

「いえ、特にどんなのとかではなくて、たとえば、です。わからないです。小学生のころに好きだった女の先生の膝小僧のことを思い出すのかもしれないし、ふじさんろくにおうむなくとか、そういう、てんで意味のないことを考えるのかもしれないです。わからないです。全然」

「そう」

彼は頷《うなず》いて、手にしていた新聞のページをめくった。

「すみません」と僕は謝った。

「何が？」

老眼鏡だろう。眼鏡をかけかけた手を止めて、彼はレンズの上から僕に聞き返した。

「何か、もっと気のきいた答えができればよかったんですけど」

「いやいや」と彼は笑って、眼鏡のブリッジを指で押し込んだ。「四コマ漫画に膝小僧にルート五。十分に面白かったよ。参考になった」

新聞を読み始めた彼に曖昧《あいまい》に一礼をして病室を出ると、僕は清掃用具の入ったカートを押しながらエレベーターホールへと向かった。

死ぬ間際に自分が何を考えるのか。

普通ならば馬鹿げて聞こえる質問も、病院という閉鎖された空間では確かな現実感をもって耳に響いてくる。人は生まれ落ちたその瞬間から死に向かって歩き出す。普段は目を背けているその単純な事実を、ここでは否応《いやおう》なく意識することになる。どんなに完璧な治療を施したところで、それはいっときの延命に過ぎない。自分の足で歩いて病院を出ていった患者だって、やがては病院に戻ってきて、いつかは自分の足では歩けない身となって病院を出ていくのだろう。今か、五年後か、十年後か、数十年後か。まさか何百年と違うわけもなく、十の単位で左手に繰り越すのなら、それは両手で足りる年月の違いでしかない。だったら、人とは限られた熱量を消費するただの有機体に過ぎないのだと悟ってしまえばいいのかもしれない。けれどもそうなったらなったで、人は自分の正気の在《あ》り処《か》さえ見失うような気もする。

エレベーターで三階まで降り、灰皿を片付けるために喫煙所へと足を向けた。カートの下のキャスターがからからと乾いた音を立てた。午後五時過ぎ。午前九時の診療開始とともに人で埋めつくされる病院も、外来受付の終わる午後三時を回ると途端に静けさを取り戻す。入院患者と医療スタッフ、事務員に僕のようなアルバイトの清掃員まで合わせれば、病院には常に三百人以上の人間がいることになる。三百人以上の人間がかもし出す物音は、それでも音自体が何かに遠慮しているようにひっそりとしている。

顔見知りになっている入院患者と会釈を交わしながら、静かな廊下をゆっくりと歩いた。喫煙所は無人だった。僕は少し離れたところにあるナースステーションの様子をそっとうかがった。声は漏れてくるものの、差しあたって誰かが出てきそうな気配はない。僕はカートを廊下に出したまま喫煙所の椅子《いす》に座り、作業着のポケットから煙草を取り出して火をつけた。二時間ぶりのニコチンが僕の脳をゆっくりと弛緩させていく。吐き出した煙は、何かの形を取る前に、壁に備え付けられた空気清浄機に吸い込まれていった。

「失礼」

しゃがれた声に僕は慌《あわ》てて振り返った。幸い、病院の職員ではなかった。勤務時間中にのうのうと煙草を吸っているところを見つかれば、クビにはならないまでも、持って回った嫌味の一つや二つは聞かされる羽目になる。

見覚えのある老人だった。七十をとうに越していることくらいは想像がつくが、それ以上は特定しづらい。検査でもあったのだろうか。寸足らずの作務衣《さむえ》のような入院患者用の検査服を着ていた。老人は僕の隣に腰を下ろすと、手にしたパッケージから煙草を引き抜いた。ポケットなどないのに、あたかもそこを探すように胸の辺りを押さえて軽く舌打ちした老人を見て、僕は自分のライターを差し出した。

「よかったら」

「ああ、悪いね」

老人は言うと、僕のライターで煙草に火をつけた。深々と吸われた息に煙草の先が赤く燃える。

ああ、と熱い風呂に肩まで浸かったようなため息が聞こえた。

うめえや。

ゆっくりと煙を吐き出し、心底うまそうに老人は言った。僕のライターを握ったまま、体の隅々まで巡った煙草の煙を楽しむようにうっとりと目を閉じる。

僕らの正面にはインフルエンザの予防を訴えるポスターが貼られていた。

『外から戻ったらうがいをしましょう』

医療の発達というのもそれほどでもないらしい。

「病院てのは」

二口目の煙を吐き出したあと、老人がぼそりと言った。

「おかしなところだな」

僕は老人を見た。いつから目を開けていたのか、老人はポスターの隣にある入院食の献立表を眺めていた。その献立表を眺めたまま老人は呟《つぶや》きを続けた。

「妙な噂《うわさ》が出回る」

「噂、ですか？」と僕は聞き返した。

「うん。噂」と老人は頷いた。

「出回りますかね」

老人が眺める献立表を見ながら僕は言った。

「出回るね。出回る」と老人は相変わらずうまそうに三口目を吸いながら頷いた。「みんな暇だからだろうな、きっと」

今日は二十六日の月曜日。夕飯はマスの塩焼き、里芋と椎茸の煮物、キュウリとキャベツの味噌汁。キュウリとキャベツの味噌汁？

「どんな噂です？」と僕は聞いた。

「そりゃ色々だよ」と老人は言った。「まあ、他愛のないのが多いけどな。婦長と外科部長ができてるとか、二階の西病棟の男子便所には医療過誤で死んだ何とかさんの霊が出るとか、副作用が強過ぎて認可の取り消された薬が名前だけを変えて投与されているとか、まあ、罪のないのが多いな」

「はあ、なるほど」と僕は頷いた。

明日の朝はロールパンにフルーツヨーグルト。インゲンとトマトのサラダ。お茶。ロールパンにお茶。

「でも、まあ、中には罪な噂もある」

「ありますかね」

「あるね。あるよ。中でも飛び切りなのが必殺仕事人伝説ってやつでな。これは一部の長期入院患者しか知らない。不思議なもんで、長期の、しかも末期の患者の耳にしか入らない。おかしなもんだよ。噂にはそういう力があるのかな。必要としている人の耳にしか入らないような。あるのかもしれないな。俺も楢崎《ならさき》って人から聞いてな。知ってるか？　先週までこの階にいた」

「いえ」と僕は言っておいた。

「死んじゃったけどな。でも、まあ、奇麗な死に顔だった」

「そうでしたか」

「ああ、奇麗だった。さっぱりしたというか。楢崎さんも死ぬ二週間ほど前にその噂を聞いたらしい。それももうじき死ぬ人から。おもしろいだろ？」

「どんな噂なんです、その必殺仕事人伝説っていうのは？」

「いや、これがな」と老人は笑いながら言った。「死を間近にした患者の願い事をかなえてくれる人がこの病院にいるってのさ。たった一つだけ、けれど必ず、患者の頼んだことをその死の前に何でもかなえてくれるんだそうだ。人間ってのはごうつくな生き物だよな。死ぬとなるとどうしても心残りってのが出てくる。何《なん》もかんも諦めて、坊さんみたいに清らかな心で死んでいくってわけにはいかない。いいものも食いたいし、いい女も抱きたい。そんなもんに切りはないけど、でも、これだけはどうしてもってのも、一つくらいはある。死ぬ前にどうしてもってのがな、一つくらいはあるもんさ」

「ありますかね」

「あるな。ある」と老人は言った。「だから罪な噂だと思うんだよ。どうせかなわぬものと思えば、人間どこかで諦めるしかない。諦め切れなくても、諦めたふりくらいはするしかない。でも、そんな噂があるんじゃ死ぬに死に切れなくなる。だから罪な噂だってな、そう思うんだ」

「罪な噂ですね、確かに」

「まあ、信じてるわけじゃないけどな。でも、楢崎さんが死ぬ寸前に教えてくれたことだから。死んじゃう人が俺に嘘《うそ》ついても仕方ないし、それに何より、あの人、奇麗な顔してたからな。一ヶ月間の便秘が治ったみたいにさっぱりとしたな。だからさ、ちょっと期待しちゃったりしてよ」

「はあ、なるほど」

「その噂じゃな、いや、あくまで噂だけど」

「はい」

「その仕事人は病院の掃除夫に身をやつしてるんだってさ」

老人は変化を探るようにちらりと僕を見た。

「もしそんな人がいるとして」

老人の視線を無視して、僕は聞いた。

「頼みをきいてくれるんだとしたら、いったい何を頼むんです？」

老人の視線に力がこもった。

「きいてくれるのか？」

「だから、もし、ですよ」

「もし、か。そうか」

老人は呟いて、視線と体から力を抜いた。

「ま、期待してたわけでもないけどな」

老人は煙草の火を消すと立ち上がった。

「もし、なら言っても仕方なかろ。言うだけ俺が安くなる。未練がましいや」

喫煙所を出ていこうとした老人に僕は言った。

「その噂には一つ間違いがあります」

老人が僕を振り返った。

「何でもってわけにはいきません。僕にもできることとできないことがあります」

一瞬ぼやけた老人の視線が僕の顔に焦点を戻した。

「あんた……」

「できる範囲のことでなら、お話、うかがいましょう」

老人は僕の顔をじっと見ると、僕の横に座り直した。

「あんたが、本当にそうなのか？」

「厳密に言うなら、僕は必殺仕事人ではありません」


厳密に言うなら、僕は必殺仕事人ではない。それはこの病院にずっと前からあった噂だ。老人が指摘した通り、その噂は死を渡り歩くように末期の入院患者の間を巡っていた。僕がそれを知ったのは、この病院で清掃のアルバイトを始めてしばらくしてからのことだった。そのころ、必殺仕事人は深夜の病室に忽然《こつぜん》と現れる黒衣の男ということになっていた。

「他愛のない御伽噺《おとぎばなし》ですよ」

大正生まれの老女はそう言って、少女のように微笑《ほほえ》んだ。

「でも、もし本当にいたら素敵じゃありません？　鞍馬天狗《くらまてんぐ》みたいで」

「かっこいいですね。怪傑ゾロみたいで」と僕は言った。

僕らは屋上にいた。屋上で煙草を吸っていた僕に老女が煙草をねだったのだ。

「それで、もし、そんな人がいたら」と僕は煙草の火を踏み消しながら聞いた。「いったい何をお願いします？」

「それはねえ」

老女はまだ長い煙草を落とした。

「復讐《ふくしゅう》」

老女が入院患者用のビニールスリッパを履いているのを見て、僕は自分のスニーカーでその火を踏み消した。

「穏やかじゃないですね」

「ええ」

老女は艶《あで》やかに笑った。

「穏やかじゃないんです」

それがかなうのなら、と老女は続けた。

「私はため込んだ小銭、全部吐き出してもいいんですけどね」

僕は聞きとがめた。さもしいとは思いながらも、聞いてみた。

「それは、いくらくらいです？」

おやおや、と老女は笑った。

「いや、実際問題として」と僕も笑いながら言った。「鞍馬天狗も怪傑ゾロもその必殺仕事人も、まあ、おいておくとして。実際問題、あなたの復讐を代行してくれる人がいたら、いくらくらい払う気があります？」

「お兄さんは」

この会話があくまで冗談であることを示すように老女は口もとの笑みを絶やさずに言った。

「いくらご入り用です？」

「二十三万九千円」

「中途半端ですね。何のお金です？」

「授業料です。大学の。分納する半期分が二十三万九千円」

「おや、学生さんでしたか」

「先月までバイトしていた家庭教師の派遣業者が潰れまして。来年度の前期の授業料に充《あ》てるつもりだったバイト代が入ってこなくなりました。腹が立ったんで、酒が飲みたくなって、飲み屋を梯子《はしご》しているうちに気が大きくなって、気づいてみたら、十万ちょっとあったはずの貯金もあらかたなくなってしまっていて」

おやおや、と老女はまた笑う。

「お恥ずかしい」

「それで、ここで？」

「ええ、まあ。いざとなれば親に借りるという手もあるんですけど、それにしたっていずれは返さなきゃいけないわけですから」

「偉いんですねえ。今時の大学生はみんな親掛かりかと思ってましたよ」

「自慢じゃないですけどね」と僕は笑った。「家がちょっとばかし貧乏なんです」

あらあら、と老女も笑った。

僕らの上の晴れ渡った空を大きな飛行機が尾を引きながら飛んでいった。

「二十三万九千円」

その飛行機をちらりと見上げて老女は言った。

「払えない額じゃありませんねえ。あっちじゃ使い道もないでしょうし」

そう言った老女の口もとにはまだ笑みがあった。

「でも、まあ」と僕も笑みを絶やさずに言った。「たとえば、人殺しとか、そういうことは、ねえ」

「そりゃ、もちろんそうでしょうとも」

ほんのちょっとした、と続けた老女は人差し指を顎に当て、少し首をひねってみせた。

「そう。悪戯《いたずら》みたいなもんですよ」

老女の笑みは消えていた。僕も笑みを消した。

僕は必殺仕事人伝説を受け継ぎ、噂の中で、いつしか黒衣の男は鼠色《ねずみいろ》の作業着の掃除夫に姿を変えていた。

「何をやったんだ？」

老人は二本目の煙草を消しながら聞いた。

「言えません」と僕は言った。「秘密です」

「そりゃそうだよな」と老人は頷いた。「それで、俺も二十三万九千円でいいのか？」

「それはいりません」と僕は言った。「受け取れないんです」

「そのお婆さんは死ぬ寸前に百万ちょっとのお金を僕の銀行口座に振り込ませていました。それに気づいたのはお婆さんが死んだあとでした。その百万ちょっとというのは、お婆さんの財産から入院費用を精算して、葬式代を引いた残りの全部だったそうです。僕はおつりを返し損ねたんですよ」

「どうして？」

「だから？」

「だから、僕は四回分の仕事を引き受けたことになるわけです」

老人は僕の顔をじっと見て、それから薄く笑った。

「何だか知らんけど、兄さん、年に似ず頑固な性格みたいだな」

「どうでしょう」

「頑固もんは報われない世の中だ。もうちょっと柔らかく考えたほうがいいな」

「心がけます」

「そうしな」

不意に老人の視線が僕の肩越しに飛んだ。振り返った先には森野《もりの》が立っていた。知っている僕だから女とわかるが、知らない人は頭を抱えるだろう。背丈は中学三年で追いついたものの、結局、追い抜くことはできなかった。高校まで続けたソフトボールのせいで、肩幅は僕よりもあるくらいだ。

「あ、邪魔したかな」

そう言いながらも、森野は気にした風もなく喫煙所に入ってきた。老人が目線で僕に問いかけた。

「あ、幼馴染《おさななじみ》です。ここのアルバイトを紹介してくれたのも彼女でして」

老人が混乱することのないよう、僕は『彼女』というところに少し力を入れて言った。

「病院の人か？」

そのなりが不審だったのだろう。老人が聞いた。森野は細身の黒いパンツに黒いジャンパーを着ていた。医師や看護婦の格好ではない。事務員だって制服は着ている。

「というか、出入りの業者というか」

僕は遠慮してそれ以上の言葉を控えたのだが、森野のほうは遠慮しなかった。

「葬儀屋をやっています」

森野はジャンパーのポケットを探って煙草を取り出し、そのついでのように端の折れた名刺も取り出した。

「ご用の節はいつでも」

「森野」

僕はいさめたのだが、老人のほうは気にしなかった。

「ま、近々」

あっさり頷いて、名刺を受け取った。

「あ、できれば名刺はご家族の方に渡しておいてください」

「そうしよう」

苦笑さえ浮かべる余裕を見せながら森野の暴言を受け流すと、老人は席を立って、僕に声をかけた。

「あとで病室にきてくれ。三〇四号室の三枝《さえぐさ》だ」

「うかがいます。あ、僕は神田《かんだ》と言います」

名乗った僕に一つ頷いて、老人は喫煙所を出ていった。

いい面構《つらがま》えだ。

出ていく老人を見送って呟くと、森野はくわえ煙草のまま、またジャンパーのポケットを探り、小さな手帳を取り出した。

「三〇四号室の三枝さんね。喉頭癌《こうとうがん》でもうじき、と。懇意にしている葬儀屋、いるのかな」

「知らないよ」

医師だか、看護婦だか、事務員だか、掃除のおばちゃんだか、きっと何人かの職員を買収して、患者の情報を入手しているのだろう。

「お前からもプッシュしといてくれ。迅速丁寧、明朗会計の森野葬儀店をよろしくって」

「機会があったらね」

森野は煙を吐き出しながら顔をしかめた。

「いったい何のためにお前をこの病院に送り込んだと思ってるんだ？　口きいてやったんだから、それくらいの役には立てよ。だいたい、ぼったくりの多い業界で、ここまで良心的に仕事をしてる店なんてそうはないぞ。遺族のためにもなる」

「遺族って、まだ死んでないだろ」と僕は呆れて言い返した。

「いずれは死ぬ」と森野は切り捨てた。

　バイト探しを横着して、渡りに船とばかりに森野の話に乗った僕も悪い。

「今日は何？」と僕は話題を変えた。

「死体が一個出そうだって言うからきたんだけど、空振りだった。ほとんど逝きかけたらしいんだけどな。持ち直しやがった」

「そりゃ、残念」

「いいさ。また出直すまでだ」

　同じ年に、同じ古い商店街に生まれ、付き合いの長さなら、お互いの人生の長さとほとんど同じになる。学校の制服を着ているときには窮屈そうに見えた独特の偏屈さが、店の作業着をまとっている今はぴたりと身の丈に合っていた。

「大学は？」

　三枝老人の名前の横に二重丸をつけると、その手帳をしまい、森野は聞いた。

「ちゃんと通ってるのか？」

「四年にもなるとね、授業料を入れれば、あとは用なしさ。金だけ取って、授業なんてほとんどない。詐欺みたいなもんだ」

「就職活動は？」

「何だよ、突然」

「今日、来がけにおばさんに会ったんだよ。就職活動をしてる様子もないし、どうするつもりなのかしらって、笑ってたぞ」

「何か、その気にもなれなくてね」

「もう四月も終わる」

「ということは、まだ一年近くはある」

何だかなあ、と呟くと森野は煙草を灰皿に放り込んで立ち上がった。

「どうでもいいけど、しゃんとしろよな。昔からお前は、いざってときに要領が悪い」

「心がけるよ」

「そうしな」

じゃな、と肩越しに手を振って、森野は喫煙所を出ていった。


勤務時間後、私服に着替えた僕が病室を訪れると、老人は僕を誘って一階にある外来患者の待合ロビーへと向かった。受付時間を終えて、すでに人はいない。テレビを勝手につけると、ずらりと並んだ長椅子の一つに老人は腰を下ろした。僕もその隣に座った。無人のロビーにテレビの音が響いた。

「ちょいと長い話になるぜ」

老人がぼそりと言った。まるで話すことが嫌でしょうがないとでも言うように。

「生まれたところから始めるのは勘弁してくださいよ」

僕が言うと、老人は笑った。

「それほど戻りゃしないけどな」

まあ、兄さんから見れば似たようなもんか。

テレビではアニメをやっていた。僕よりもずっと年下に見える女の子が、宇宙のかなたで殺し合いに身を投じていた。子供向けのアニメにしては女の子のキャラクターの胸が大き過ぎるし、衣装もぴっちりし過ぎてる。

「いつから始まる話です？」

そのアニメを眺めながら僕は聞いた。

「昭和十」と言った老人は軽く舌打ちした。

年は取りたくねえな。

「十八年だったか、九年だったか。二十年じゃもう終戦だしな。どこかその辺りだよ。兄さんの親父は生まれてたか？」

「親父は二十三年です」

「二十三年か」と老人は呟いた。「まだ仕込まれてもいねえじゃねえか」

「そうですね」

ガチャガチャと賑やかな画面に疲れて、僕はテレビから老人に目を向けた。

「まだ仕込まれてもいません」

八年だったかな、九年だったかな。

老人はもうひとしきり首をひねり、諦めた。

「まあ、いいや。とにかく、その辺だ。俺は北支にいた。いたくていたわけじゃねえけどな。しゃあねえさ。赤紙が届いたと思ったら、あれよあれよで大陸さ。国家ってのはすげえもんだと思ったね。何万っていう人間がいるのに、ちっとも手違いなく、あっという間に大陸へ運んじゃうんだからよ。感心したね。それは国家が兵隊の個性になんざ、何の関心も持ってないからだって気づいたのはずっとあとのことさ。トヨタがカローラ輸出するみたいによ。何台がそっちで、何台があっちってな」

「はい」

「そこでな……」

微《かす》かに言い澱《よど》んでから、老人はゆっくりとそれを吐き出した。

「そこで、俺は、人を殺したんだ」

僕は老人を盗み見た。表情を殺した顔に僕が示すべき反応へのヒントはなかった。驚く、責める、慰める。どれもがてんで芝居じみている気がして、僕は老人と同じ表情で言った。

「戦争ですもんね」

「まあな」と老人は言ったが、それはただの受け言葉で、特に納得したわけではなさそうだった。

「やらなきゃやられるわけだし」と僕は言ってみた。

「そう簡単なもんでもねえさ」と老人は言った。「実際、やらなきゃやられたのか、今でもよくわかんねえんだよ。こっちがやらなかったら、向こうもやらなかったような気もするしな。ただ、そうだな。みんな、やらなきゃやられるってんで、やってたんだろうな」

でも俺の場合、と老人は続けた。

「戦闘で殺したわけじゃねえんだ。もっと言うなら、敵を殺したんでもねえ」

「味方を？」

テレビはCMになっていた。生まれてこの方、甘いものなど食べたことのないようなか細い女の子がチョコレートを食べ始めた。

「味方を殺したんですか？」

それは疑問ですらなかった。五十年以上も前、終焉《しゅうえん》を前にした混沌の中で、その老人が人を殺そうが殺すまいが、その対象が敵であろうが味方であろうが、あまり意味はないような気がした。

「生きて虜囚《りょしゅう》の辱《はずかし》めを受けず、死して罪禍《ざいか》の汚名を残すことなかれってな」

その原典をしばらく考え、僕は聞いた。

「葉隠《はがくれ》？」

「センジンクンだよ」

戦陣訓、と僕は適当に漢字を当てて、意味までわかったことにした。

「敵前逃亡しようとしたやつがいてな」

「はい」

「殺した」

「そうでしたか」

老人はちらりと僕を見たあと、テレビに視線を戻した。

「ひでえ時期だった。兵隊がどんどん減っていってな」

恋愛ドラマのタイトルが画面に躍《おど》るのを見ながら僕は聞いた。

「戦死ですか？」

「それもある。けど、南へ送られたほうが多い」

「南？」

「南方戦線」

「ああ」

「前線の下っ端になんか、戦況なんて何もわかんねえ。たぶん、大隊長だってわかっちゃいなかったろうさ。ただ、周りにいる味方の部隊の数がどんどん減っていって、戦線が広がってるんだろうってのはわかった。クソ忌々《いまいま》しい状態さ。ここが終わったからって、帰れるかどうかもわかんねえ。自分らだって南へ回されるかもしれねえし、なんてな。まあ、今から思えば、呑気《のんき》なもんだよな。ここが終わると思ってたんだから」

「北支というと、敵はロシアですか？」

胡乱《うろん》なものを見るような老人の視線で、僕は日本史の教科書の記述を思い出した。ソ連の参戦は広島に原爆が投下された翌々日、ポツダム宣言受諾の寸前だ。

「ゲリラだよ。共産党軍の」

指揮系統はどうなってたのかなあ。

「ずいぶん組織的に動いてたな。ゲリラ討伐《とうばつ》作戦だなんて言ったって、討伐されてんのがあっちだかこっちだかわかりゃしねえ」

ひでえ時期だったよ。

老人は繰り返した。

テレビでは三十を間近に控えた男と女が好きだの嫌いだの言い合っていた。チャンネルを替えたかったが、立ってそこまで行くのが面倒だった。

「同じ隊にな、脇坂《わきさか》ってやつがいた。年は俺よりいくつか上だったのかな。下士官でな。伍長だった。気のいい田舎もんだったな。北のほうの農家の次男坊だか三男坊だかで、食うや食わずの生活よりはマシだろってんで軍に入ったらしい。俺みたいな年下の下っ端にもえらく気を遣ってたな。ほとんど遠慮してるみたいにな。小隊長には怒られてたよ。上下を心得ないと規律が乱れる。上官への服従が絶対なら、部下への厳しさも必要なんだって。この小隊長ってのが厳しいやつでな。年は隊で一番下だったんじゃないかな。当時のエリートだな。だから舐《な》められるのを恐れたのかな」

「逃げ出したのは誰だったんです？」

「その脇坂ってやつさ。逃げ出したんじゃないな。逃げ出そうとしたんだ。一人で逃げりゃいいものを、やっこさん、仲間を募った。それも隊で片っ端から声をかけていった。小隊長の耳に入らねえほうがどうかしてらあ」

「どうしてまたそんなことを」

「さあな。一人で逃げちゃ、仲間に悪いって思いがあったのかな。どうせ逃げるにしても、断ってから逃げたほうが寝覚めがいいとでも思ったか」

いいやつだったからな。

老人は言った。

「その日にな、ゲリラに囲まれたんだ。こっちの部隊と、もう一個、別の部隊と。まあ、相手の狙いはその別の部隊のほうだったらしい。頭を押さえて、後ろから詰めて、脇を固めてって、その包囲網に勝手にこっちが入っていっちゃったんだな。間抜けな話さ。討伐作戦が聞いて呆れるよな。気づくと部隊の左手でドンパチ始まってた。助けに行きたくたって、こっちだって身を守るのに必死さ。くぼみに身を寄せて、じっとしてた。どうか敵がこちらに気づきませんようにってな。そのためだったら向こうの部隊が全滅してもいいって、なあ、俺は本気でそう思ったね」

好きなら抱いて、嫌いでも抱いて、とうじうじ言ってるテレビの女に苛々《いらいら》した。そんな女の前でうじうじしている男にも苛々した。

「その部隊は」と僕は聞いた。「どうなったんです？」

「それがな、一瞬、銃声がやんだんだよ」と老人は言った。「一瞬やんで、日本語が聞こえてきた。日本のみなさん、武器を捨ててくださいってな。向こうの部隊に話しかけてるんだぜ。でも、その声がこっちにまで聞こえるんだよ。みんな息を殺してるから。その声が言うんだ。日本はもうじき負ける。南方戦線は壊滅状態だって。そこから先はよく聞こえなかったけどな。でも、まあ、投降すれば殺しはしないみたいなことを言ってたんだろう」

「投降したんですか？　その部隊は」

「しねえさ」

当たり前のことを聞くなとでも言いたそうに老人は答えた。

「すぐにまた銃声が戻った。俺たちはずっと息を詰めていた。なあ、そういう緊張感って経験あるか？」

「ないですね」と僕は言った。「ないです」

「怖くてじっとしてるんだけどな、しばらくすると、じっとしていることが怖くなるんだよ。このままじゃ死ぬ。何かしなきゃいけねえ、何かしなきゃいけねえってな。何でもいいから闇雲《やみくも》に動きたくなる。みんなそうだったと思うぜ。最初に小隊長が我慢できなくなった」

友軍を助けに行くぞ。

そう言って、老人は鼻で笑った。

「威勢はいいやな。でも、威勢だけだ。そんなことしたらみんな死ぬ。みんなわかってる。でも、みんな、おうって答えて、立ち上がった。わかるか？　恐怖に勝とうとしたら狂うしかないんだ。死と恐怖が逆転してる。理屈ではみんなわかってる。でも、それ以上の恐怖に耐えられなくなってるんだ。それに耐え切れたのは脇坂だけだった」

結局、やるんじゃねえか、と僕はテレビの男に毒づいた。どうせやるなら、うだうだ言わずに最初からやればいいんだ。

「脇坂は立ち上がった小隊長をぶん殴った。伍長が少尉をぶん殴ったんだ。でも誰も咎《とが》めなかった。座っとれ。脇坂が怒鳴った。普段はおとなしい脇坂の、どこにそんな声が詰まってたのかと思うくらい迫力があった。ぽん、とな。夢から覚めたみたいに、みんな我に返った。それでまたくぼみに身を隠して、戦闘が終わるのを待った。じっとな。隊の半分は泣いてたよ。小隊長も泣いてた。仲間を助けられないことに泣いてるんじゃないぜ。怖くて泣いてるんだ。いい年した大人がよ、怖くて泣いてるんだぜ。息を殺して、鼻水を流しながら。ま、そう言う俺も泣いてたけどな」

「その脇坂さんがなぜ」と僕は言った。「なぜ逃亡なんて」

「銃声が終わって、どれくらい経ってからかな。何時間にも感じたけどな。俺たちはじっと身を潜めていた。それから恐る恐る辺りをうかがった。敵はいなくなっていた。部隊は全滅してた。その死体を俺たちは茫然と眺めていたよ。死が、俺たちのすぐ脇をかすめていった。それがほんの少しずれていたら、俺たちはこうなってた。その標本がな、俺たちの前にまざまざと見せつけられてたんだ」

「それで、怖くなった？」

「そりゃ、怖かっただろうよ。怖かっただろうけど、だから、あいつは恐怖を抑え切れたんだよ。狂わなかった。だから逃げようとしたんだ。理屈で考えるなら、それが一番正しい方法だ。あいつは理屈で考えられた。だからだ」

いったん恐怖が過ぎ去ると、と老人は言った。

「今度は脇坂が卑怯者呼ばわりされ始めた。あのとき、やっぱり仲間を見捨てるべきじゃなかったってな。みんな勝手なものさ。みんな助けに行こうとしたのに、脇坂が無理やり止めたってことになっちまった。そんな雰囲気をわかっているくせに、脇坂はみんなを説いて回った」

　南方戦線は壊滅してるそうでねえか。南方が壊滅すたなら、こりゃ本土が爆撃機の射程圏内に入るっつうことだんべ。こりゃ負けだ。んだろ？　んでねえか？

「嘘だ、とみんな言った。脇坂に恐怖を見透かされているようで悔しかったんだろう。怖いんだろう？　もうやめてもいいんだよ、ってな。そう言われてる気がした。ほどなく脇坂の言葉が小隊長の耳にも入った。小隊長は烈火のごとく怒った。そりゃ、もう、ひどいもんだった。けれど脇坂は、馬鹿正直に小隊長まで説こうとした。理詰めでいけば脇坂に勝てるわけないさ。脇坂の言っているほうが正しいんだから。だけど怒りってのは理屈じゃねえからな。ろくに教養もねえ田舎の下士官に何も言い返せないとくれば火に油を注ぐようなもんさ。前にぶん殴られたことも恨みになったんだろう。激昂した小隊長は」

　軍刀を抜いた。

「その軍刀を脇坂の首にぴたりと当てた」

陸軍刑法により……

「無茶苦茶さ。陸軍刑法も何もない。軍法会議抜きで小隊長が兵隊を処断しようってんだからな。それに気づいたのか、小隊長の手が落ちた。けれどその手は」

軍刀を戻すことはなかった。

「その手が俺に伸びた。俺じゃなくたってよかったんだ。一番近くにいたってだけのことさ。一生の不覚だね。何だってあのときにあんなとこに立っていたのか。俺の前に刀が突き出された」

斬れ。

「小隊長が言った」

許す。斬れ。

「ああ、俺は本当にどうかしてたんだよ。取らなきゃ俺が斬られる気がした。それくらい小隊長の顔は真剣だった。俺は周りを見回した。みんなじっと俺を見ていた。誰も目を逸らさなかった。やれ。みんなの目がそう言っていた。それともお前は卑怯者か？　俺は取った。そして俺が取っちまったそのときに」

脇坂の運命は決まったんだよ。

「斬ったんですか？」

「殺す気はなかった。振りかぶって、胴の辺りを薄く撫でる程度に斬ろうとした。けど、脇坂は咄嗟《とっさ》に」

避けた。

「かがむようにして。腰をすとんと落とすように。だから、胴があるべきだったちょうどそこに」

首がきた。

「何でそんなにも血が飛ぶのか、俺にはわからなかったよ。血飛沫《ちしぶき》を受けて、俺は茫然としてた。状況がわかったのは、脇坂の体がゆっくり前に傾いて、地面に倒れたあとだった」

脇坂伍長は……

「俺の肩に手を置いて、小隊長が言った」

本日の戦闘において見事な最期を遂げられた。

「小隊長は俺の手から軍刀を取った。血を拭って刀を納めた。それですべてが終わった」

さっきの男が今度は別の女とぐだぐだやっていた。

「それで終わりだったんですか？　誰も咎《とが》められず？」

「手を下した俺が言うのも変だけどな」と老人は言った。「ありゃ、みんな共犯だ。あの小隊全員が共犯みたいなものさ。いったい誰が進んで自分の罪を明かす？」

おいおい、と僕は思った。そっちの女ともやっちゃうのか？

「それで」と僕は聞いた。「僕は何を？」

「戦争が終わって、身の回りが落ち着いてきて、俺もあのことは忘れようと思った。でも、駄目だった。忘れようとすればするほど、あのときの脇坂の顔が頭のどこかにこびりついてる。寝ても覚めてもな。脇坂は亡霊になって俺の周りにまとわりついた。だから俺は脇坂の家族を探した。家族に会って、すべてを話し、自分の罪を償おうと思った」

「家族がいたんですか？」

「脇坂は結婚しててな。奥さんと子供がいた。必死に探し回って、東京に出てきていることを突き止めた。戦争が終わって、四半世紀も経ったころだ」

老人にとっては過去、僕にとっては歴史になる時間たち。昭和三十年。神武景気。奇跡の経済大国日本の産声。昭和三十五年。岩戸景気。右肩上がりの高度経済成長。そこからさらに十年。首相は佐藤栄作？　戦争の傷跡は、もはやない。

「会ったんですか？」

「そのときには、もう俺にも家族がいた」

老人は苦しそうに吐き出した。

「軽蔑してもいい。笑いたきゃ笑え。俺は言えなくなった。大陸から戻った俺を雇ってくれた人がいた。ちんけなクリーニング屋だけどな。俺はそこで働いた。そこの主人は俺を可愛がってくれた。店と一人娘を俺にくれた。子供もできた。俺は言えなかったんだ」

一戦終えた気だるい部屋にさっきの女がやってきた。女は血相を変えて男を罵倒した。別の女が言い返した。男はおろおろした。三人で楽しめばいいのに、と僕は思った。

「俺はずっとその家族を見てきた。気づかれないように、そっとな。何をしたわけじゃない。たまにその家族が住んでいる家の前を通ったりな。年に一度は人を雇って、その家族に問題がないかを調べさせた。奥さんは健康か。一人息子の人生は順調か。何か問題があるなら、そのときこそ出ていこうと思った。そこそこ金もたまってたしな。それで解決する問題なら、それこそ全財産投げ出したって役に立とうと思った。やがて息子が結婚し、孫ができた。奥さんは去年死んだ。まあ、大往生だな。息子一家は今も東京に住んでいる。普通の会社員だ。そこそこ出世コースに乗っているらしい。子供は娘が一人。遅くにできた子供だったから、まだ高校生だ。奥さんはパートで働いているけど、家計のためというよりは外に出ていたいからだろう。それが去年の秋に受けた報告だ」

「それで」と僕は重ねて聞いた。「僕は何を？」

「その家族に近づいて欲しい。素性を明かさずに、いかにも偶然知り合った風にその家族と接触して欲しいんだ。深い付き合いじゃなくていい。その家族がどんな風に暮らしていて、どんなものを大事にして、どんなことに喜びを感じているのか。それを教えて欲しい。今までの形式的な調査報告じゃなくて、もっと生きた報告が欲しい。俺はそれで満足する。その家族が感じる喜びを自分のものみたいにして、納得して死んでいきたいんだ」

言い終えて、ため息を一つこぼすと、老人はおもねるようにそっと聞いた。

「笑うか？」

「笑いませんよ」

「でも卑怯だよな」

「だったとしたところで」と言って、僕は腰を上げた。「僕に何が言えます？」

2

「ああ、それじゃ駄目、駄目」

朗らかな声に僕は振り返った。隣の打席にいた、瘦身《そうしん》の、いかにも切れそうな顔をした男が、笑いを押し殺した表情で僕を見ていた。タイミングを計ってこちらから声をかけようと思っていたのだが、向こうから声をかけてくれるのなら、それに越したことはない。

「あ、駄目ですか。やっぱり」

僕はフロントで借りた五番アイアンを手にしたまま言った。日曜日とあって、打ちっぱなしには素人ゴルファーの姿がちらほらと見られたが、僕より下手な人はいそうになかった。

「誰かに習ったの？」

「いえ。見よう見真似の自己流です」

「そうだろうな」

男、脇坂啓介《けいすけ》は自分の打席を出て、僕の後ろに回った。脇坂伍長の忘れ形見は、現在、都銀の本店で会計部長を務めている。三枝老人が受け取った報告書によれば、脇坂氏の唯一とも言える趣味がゴルフで、脇坂氏はほぼ毎週日曜日に近所の打ちっぱなしに出かけるということだった。僕は大学の友人に車を借り、その打ちっぱなしの駐車場で脇坂氏の車を待った。

現れた脇坂氏のあとをつけて打席を確認すると、いったん車のところへ戻ってから脇坂氏の打席のすぐ隣に入った。

「グリップからなってない。それじゃ駄目なんだ。握りやすいだろうけどね。グリップは、もっと、こう」

「こう、ですか？」

「そう、そう。ちょっと振ってみな」

僕が振ってみせると、脇坂氏はすらりとした形の良い眉を寄せた。野球場にいたって、スケートリンクにいたって、後楽園ホールのリングにいたって、ゴルファーにしか見えないだろう。上から下まで、完璧にゴルフウェアーで身を固めていた。

「駄目だな。もっと自然に。上げたら、そのまま戻す。余計なことはしない。ね？　こう」

脇坂氏は僕のクラブの先端を持って、その正しい軌跡を描いてみせた。

「ちょっと打ってみな」

当たるには当たった。その程度だった。何百メートルも先にある小さな穴を目指すなら、当たらなくても同じようなものだった。

ううん、と唸《うな》った脇坂氏は、それ以後、病的なほどの熱心さで僕の指導に当たった。トップの位置がどうしたとか、下半身のためがどうしたとか、インパクトの瞬間の右手がどうしたとか。相手が僕だからいいようなものの、何の下心もない人だったら単に迷惑にしか思わないだろう。それくらい徹底した執拗《しつよう》な指導だった。

僕のボールは初めは手元に、それから徐々に遠くへ飛ぶようになり、一時間後には右に行きがちだったコースもどうにか修正された。

「あとは慣れだね」

最後に真っ直ぐ飛んだボールを目で追って、脇坂氏は言った。

「どうも本当に」と僕は額から流れる汗をぬぐって、息を切らしながら言った。「ありがとうございました」

「いやいや」と脇坂氏は言うと、自分の打席へ戻っていった。

僕に教えることでゴルフは満喫できたらしい。脇坂氏は足元に残っていたボールを打ち尽くすと、帰り支度を始めた。立ち去った脇坂氏のあとに僕もすぐに続き、駐車場で追いついた。

「先ほどは、どうもありがとうございました」

後部座席にゴルフバッグをしまう脇坂氏に僕は声をかけた。

ああ、と脇坂氏が振り返った。

「お礼にコーヒーでも奢《おご》らせてもらえませんか」

僕は練習場の中にあるコーヒーショップの看板を示して言った。

「いやあ」と脇坂氏は笑って首を振った。「そんな気を遣わなくていいよ。ま、しっかり練習するんだね」

脇坂氏は赤いボルボに乗り込んだ。それ以上、しつこくする必要もない。僕は好青年風な笑顔で一礼すると、借りたブルーバードへと歩き出した。僕が運転席に乗り込み、煙草に火をつけるのと同時に、脇坂氏の赤いボルボが動き出した。途端に、ポンという音がする。

「ごめんなさい」

僕は煙草の煙を吐き出しながら呟いた。脇坂氏が車から降り、膝をついて後ろのタイヤを調べた。舌打ちが聞こえそうだった。立ち上がり、辺りをぐるっと見回す。フロントガラス越しに僕と目が合う。僕はそこで初めて異変に気づいたかのように、車の窓を開け、首だけを出した。

「どうかしましたか？」

何でもない、と手を振ってみせた脇坂氏は、もう一度後ろのタイヤを眺め、それから諦めたように首を振ると、僕の車のほうに近づいてきた。

「パンクしたらしくて」と脇坂氏は言った。

「あ、パンクですか」

煙草を消し、エンジンを止めて僕は言った。

「なら手伝いましょう。スペアタイヤ、ありますよね。あとジャッキと」

「それは、あるにはあるんだけど」と脇坂氏は言った。「二つなんだ。後ろのタイヤが二つともパンクしてる」

「二つ？」

「ああ、釘が刺さってて」

「ええ？」

僕は車から降り、脇坂氏とともにボルボのところへ戻った。ボルボの後ろのタイヤには二つともに木に打ちつけられた釘が刺さっていた。

「ああ」と僕は言った。「悪戯《いたずら》ですね」

「悪戯？」

「ええ。頭が出るようにして釘を打った板を、まあ、別に尖ったものなら何でもいいんですけど、それを車のタイヤのすぐ前に置いておくんです。普通、タイヤなんて確認もしないですからね。そのまま出すと、タイヤが釘を踏みつけてパンクする。自分で釘を刺してパンクさせるのと違って、万一、現場を押さえられても釘を隠しちゃえば白を切れる。ちょっと落しものをして探してたんだ、とか。相手も車に異常がない以上、とやかくは言わないですからね。それに」

「それに？」

僕も今気づいたんですけど、と胸の内で付け足しながら僕は言った。

「悪戯としてもそのほうが面白いんですよ。パンって音に驚く運転手の顔も見られる。どっか物陰に隠れて見てたんじゃないですか」

僕が辺りを見回してみせると、脇坂氏もその真似をした。駐車場には、練習を終えて帰る人も、これから練習に向かう人もいたが、誰も僕らのことなど気にしていなかった。

「参ったね」と脇坂氏は言った。

「参りますね」と僕も言った。

「悪いやつっているもんだね」

「悪いやつっているもんです」

脇坂氏はいつも使っているという修理工場に電話をかけた。幸い、そのボルボに合うタイヤは在庫を切らせていた。脇坂氏は取り敢《あ》えず車を引き取らせ、僕が脇坂氏を家まで送っていった。


比較的新しい住宅街の中に脇坂氏の家はあった。春の終わりの太陽の中、庭の芝生がその家の何かを自慢するように青々と光り輝いていた。

「コーヒーでも？」と今度は脇坂氏が僕を誘った。「あそこのコーヒーショップよりは美味《うま》いのを出すよ」

「いえ。でも、お休みの日に」と僕は遠慮してみせた。

「きちんと礼も言いたい。時間があるのなら、上がっていってくれないかな。車はその脇にでも停めておけばいいから」

エリートは貸しを作ることは気にしないけれど、借りを作ることは嫌う。資本主義というシステムを知り尽くしているからだ。借りには必ず利子がつくことをわかっている。僕は脇坂氏に根負けした形でその家に足を踏み入れることに成功した。

「修理工場の連中、気がきかなくて、代車を持ってこない。仕方ないからタクシーでも拾おうと思ったら、彼がね、送ってくれた」

出てきた奥さんに脇坂氏は言った。

「それは本当にどうも」と奥さんは言った。

脇坂夫人、由紀子《ゆきこ》。三枝老人が受け取った報告書によれば、平日の三日だけ、駅前にある小奇麗な花屋で、午前十時から午後二時までの間、花を売る、という道楽のようなパートをしている。趣味は近所の奥様方とのお茶会。

「どうぞ。ちょうどクッキーを焼いたところなんです」

僕をリビングへと案内しながら奥さんは言った。

一見、若そうに見えるが、よくよく見てみればそれは長年かけて培ったテクニックの産物とわかる。薄い色のファンデーションを厚く塗っているだけだ。ベージュの巻きスカートにニットシャツ。胸にブローチでも付ければそのまま授業参観にだって行けそうな出で立ちだったが、僕の訪問は不意のはずだから、それが脇坂夫人の普段の格好ということになる。

脇坂氏の言った通り、そこらのコーヒーショップよりはずっと丁寧に淹《い》れられたコーヒーを飲みながら、僕は嘘をつかなくていい範囲で自己紹介をした。僕の大学名のところで二人は大袈裟《おおげさ》に驚いてみせた。学生証を見せたらひれ伏すかもしれないと思うくらい大袈裟な反応だった。

「クッキー、もっと召し上がりません？」

自家製だというクッキーは、市販品と変わらぬほど形良く焼けていたけれど、味も市販品と同じようなもので、わざわざそれを自分で焼く意味が僕にはよくわからなかった。

「いえ。もう十分に」

「そう遠慮なさらずに」

奥さんが立ち上がったところで、二階から女の子が降りてきた。

「あ、智美《ともみ》。お茶飲んでるの。一緒に飲む？」

聞いた奥さんに、彼女は少しはにかんだ笑顔で頷いた。

脇坂智美。都内の私立高校三年生。通うのは超のつくお嬢様学校で、マニアの間ではその制服が十万以上の高値で取り引きされているという。学校では演劇部に所属しているはずだ。

「娘の智美です」と脇坂氏が紹介した。

「お休みの日にすみません」と僕は立ち上がり、頭を下げた。「図々しく上がり込んじゃって」

いえ、だか、ええ、だか、よくわからない返事をすると、彼女は父親の隣に腰を下ろした。分厚い眼鏡をかけていた。髪はほとんどおかっぱに近い。決して不細工な子ではないが、顔つきにも雰囲気にも色気と呼べるものがまったく感じられない。それが彼女の制服でも、マニアは十万も出すのだろうか？

「高校生？」と僕は聞いた。

彼女は頷き、高校の名前をぼそぼそと答えた。

「ああ、頭いいんだ」と僕は言った。

「いや、そんなことも。神田くんに比べれば」と満更でもなさそうに答えたのは脇坂氏だった。「こちらは神田くん。大学生だ。神田くん、学部は？」

「文学部です」

「ああ、それはいい」と脇坂氏はやたらと感心してみせた。「うちのも高校で演劇をやってましてね。そうだよな？」

智美ちゃんはこくんと頷いた。

「シェイクスピアとか、チェーホフとか？」

「ウィリアムズです」と智美ちゃんは言った。「テネシー・ウィリアムズ」

「今度、何かやるって言ってたわよね。発表会があるんでしょ？」

戻ってきた奥さんが言った。

「『ガラスの動物園』」と彼女は答えた。

「さ、どうぞ」

奥さんは自分も座りながら、山と盛られたクッキーを僕に勧めた。僕はクッキーを一枚取り、言った。

「何よ、そんなに大騒ぎして。馬鹿馬鹿しい。たった一人のお客様のために」

脇坂氏と奥さんがきょとんとした。智美ちゃんだけがくすくすと笑った。

「ねえ、母さんが出て」と智美ちゃんは言った。「私は駄目。お願い」

「え？」と奥さんが言った。

「台詞《せりふ》です」と僕は笑った。「『ガラスの動物園』の中の」

「ああ」と脇坂氏が頷いた。

「何をやるの？　ローラ？」

「ローラは」と智美ちゃんは言った。「一番、奇麗な子がやります」

「あ、それじゃ、ジムかな」

暗くなった智美ちゃんの表情に僕は慌てて言った。

「女子高だよね。ジムも女の子がやるんでしょ？」

「そうですけど」と智美ちゃんは言った。「ジムは後輩がやります。一年生だけど、ボーイッシュだし、声がよく通るんです」

「アマンダ？」

「あれは難しいからって、部長が」と智美ちゃんは言った。「私は照明です」

座が一気に白けた。

「それは難しそうだね」と僕は思いつきをそのまま口にした。「照明っていうのは、観客の視線なわけでしょ。どんなにいい演技をしたって、照明が別なところに当たっていれば誰もそれを見てくれない。映像でいうのなら、カメラマンみたいなものだよね」

「そんな難しいものでもないです」と智美ちゃんは言った。「出ている人に片っ端からライトを当てればいいだけですから」

白けまいとする僕と白けさせまいとする智美ちゃんとの思惑が空回りして、座はますます気まずくなった。

「気まずくなったって、帰るわけにはいかないですからね。苦労しました」と僕は言った。

僕らのひそひそ話に嫌気が差したのか、僕らの前に座っていた男の人はまだ長い煙草を灰皿に捨てると、喫煙所を出ていった。

「で、どうした？」

声を普通のトーンに戻して、三枝老人は言った。

「ねばりましたよ。報告書で彼女が近くの予備校に通っていることは知っていましたから、何とかその話を出させるようにして。僕は帰りがけに、こう、脇坂氏を呼び出して、そっと言ったわけです」

「何を？」

「さっき話に出た予備校ですけど、僕の大学の友人がそこで講師のバイトをしていて、生徒の女の子を三人食った、いえいえ、つまり、そういう関係になったと自慢していたことがあります。講師同士で何人ものにできるか、賭けが行われているという話も聞きました。お嬢さんに限ってそういうことはないでしょうが、お気をつけられたほうがいいかと」

「言ったのか？」

「一言一句その通りに。代官にへつらう越後屋みたいな口ぶりで」

「お前、悪いやつだな」

「その日は自己嫌悪で眠れなかったほどです」

　しゃらくせえ、と老人は笑った。

「それで、何だ？　予備校を辞めさせて、何がどうなるんだ？」

「一つを疑い出せば切りがなくなる。脇坂氏はすべての予備校を信じられなくなるわけです。でも、まあ、天下のお嬢さん学校ですからね。体面がある。ああいう学校は、親の体面のために子供を予備校に通わせたりするわけです。大学までエスカレーターですから、そもそも予備校なんて通う必要はないんですよ。みんな親の見栄です。おたくのお嬢さまはどちらの予備校へ？　あら、お通いになってないんざますの？　あらま驚いたでざますってなもんです」

「詳しいな」

「前に家庭教師をしていた家がそういう家でした。そこの子供は家庭教師とは別に週に四日、予備校に通ってましたけどね」

「それで、脇坂はどうなる？」

「だから、予備校に通わせられないとなれば、脇坂氏は仕方なくつけるわけですよ。家庭教師を」

「お前を？」

「別にそのために通っているわけじゃないですけどね」と僕は言った。「僕の大学の学生証はその手の親にはひどく受けがいいんです」

「アホくせえな」と老人が言った。

「僕のせいじゃないですよ」と僕は言った。

人の気配に振り返ると、喫煙所に速水《はやみ》さんが入ってくるところだった。清掃のパートの中では一番の古株で、アルバイトに入った当初の僕に仕事の手順を教えてくれた人だった。年は六十代後半だろう。性質《たち》の悪い天然なのか、かけるときに失敗したのか、くしゃくしゃのパーマの髪は黒と白とが半々くらい。おしゃべり好きが顔をそろえるパートのおばちゃんたちの中にあって、唯一、寡黙な、ほとんど偏屈とも取れるくらいに愛想の悪いおばちゃんだった。休み時間でも勤務時間でも、いつもイヤフォンを耳に突っ込んで、何やら音楽を聴いている。それでも誰も注意しないのは、パートで一番の古株だからというだけではなく、その身にまとった頑《かたく》なな雰囲気のせいだろう。研修という名のもとに彼女について回った一週間の間で、僕らが交わした言葉の数はせいぜい十かそこらだった。

灰皿を片付けるために身をかがめたところで、速水さんは私服でそこに座る僕に気がついた。

「どうも」と僕は言った。

遠視用の分厚いレンズの向こうで不審そうに目を細め、速水さんが聞き返した。

「ノーモア？」

どうやら僕の唇の動きをそう受け取ったらしい。

「あ、いや、そうじゃなくて」

灰皿に伸ばしかけていた手を戻し、速水さんは仕方なさそうにイヤフォンを片方だけ外した。

「どうも」と僕は改めて言った。

そんなことを聞かせるためにわざわざ私にイヤフォンを外させたのか、とでも言いたそうに速水さんは僕を見返した。その仏頂面《ぶっちょうづら》を和《なご》ませる何か気のきいた話題はないものかと考え、僕は言ってみた。

「あ、今日はバイトじゃないんです。ちょっとお見舞いで。こちら、三枝さんです。バイトしている間に仲良くなりまして」

そんなこと誰も聞いちゃいないよ、とでも言いたそうに速水さんは僕を見返した。

「ええと、あ、いつも、何を聴いてるんです？」と僕は言った。

「ニルヴァーナ」

イヤフォンを耳に戻しながら短く答えると、速水さんは灰皿を片付け始めた。

「ずいぶん、受けが悪いみたいだな」

僕らのやり取りを黙って眺めていた老人が意地悪く笑った。

「自慢の学生証でも見せてみたらどうだ？」

「そんなの、とっくに試してますよ」と僕は言った。

勤務日ではないとはいえ、灰皿を片付ける速水さんを黙って眺めているのも気づまりだった。かといって、手伝えばかえって煙たがられそうで、僕は老人を促して、立ち上がった。

「で、その家庭教師は？」

喫煙所を出たところで、老人が言った。

「来週からです。火曜日と金曜日の七時から」

老人は何かを考えるように宙を見つめたあと、一つ頷いた。

「んじゃ、また報告しろや」

3

報告するにもするようなものは大してなかった。週に二度、七時から二時間の約束で僕は脇坂家を訪れた。智美ちゃんの部屋で勉強をするふりをしながら、演劇の話やらイギリス文学の話やらをし、それが終わると今度は下に降りて奥さんも交えながら世間話をした。それが一段落するころに脇坂氏が帰宅した。智美ちゃんが引っ込み、今度は脇坂氏と政治やら経済の話をした。ときには酒を酌み交わすこともあった。中流よりは明らかに上だが、上流特権階級というほどでもない。赤いボルボやら自家製クッキーやらレミーマルタンやらに慣れてしまえば、それはそれでどこにでもある普通の家庭生活に見えた。

けれど、老人はそういう報告こそを求めているのだろう。

僕はそう解釈し、老人に細かな報告を続けた。老人はうんうんと頷きながら僕の報告を聞いた。

それでそのとき、その女の子はどんな顔をしていた？

奥さんはどんな顔でそんなこと言ったんだ？

そしたら、脇坂はどんな顔をした？

僕は週に二日脇坂家へ通い、週に四日の病院のアルバイトのときに老人にその報告をした。

脇坂家に変化らしきものが訪れたのは、僕が接触してから半月ほど経ったころだった。最初の兆候は若い女からの電話だったという。奥さんですか？　電話を取った脇坂夫人が「ええ」と答えると、電話はそれだけで切れた。

「携帯の電波が悪くなって切れたんだろうと思ったそうです。私の友達が私に電話してきたのかと。でも変ですよね。私の友達だったら、お母さんですかって聞きますから」

「お父さんに、だろうね」と僕は頷いた。「会社の人？」

「声の感じはもっと若かったそうです。学生とか、そんな感じだったそうです。たった一言だから、確かじゃないでしょうけど」

「それからなの？」

「ええ。ほとんど毎日。いつも何も言わずに切れるんです。母が取っても、私が取っても」

「お父さんには？」

「言うなって。母が」

シャーペンを回していた指先の動きを止めて、智美ちゃんは僕を見た。

「どう思います？」

「何とも言えないな」

迂闊《うかつ》なことは言えず、僕は誤魔化した。

「間違い電話と悪戯電話が重なっただけかもしれない。奥さんですか、は間違い電話で、お母さんの声を聞いた相手が間違いに気づいて黙って切った。そのあとの無言電話は別人がかけているただの悪戯」

言っている本人も、聞いている相手も信じていない無駄な言葉だった。智美ちゃんはまたシャーペンを回し始めた。

「父が」と、いかにも、今、思いついたことを喋るように、智美ちゃんは言った。「浮気しているとか？」

「どうかな」と僕は言った。「発想が飛躍し過ぎている気はする」

「そうでしょうか？」

すがるような視線があまりに真剣で、僕は智美ちゃんの期待する嘘をつけなかった。

「可能性としてはなくはないだろうけど」

カノーセーと智美ちゃんは呟いた。

「神田先生から聞いてもらえませんか？　父に。それとなく」

「どうだろうな。僕が聞いたって、そんなこと、簡単に答えてもらえるとは思えないし」

「ということは」と智美ちゃんは言った。「神田先生もそう思うわけですね？　父が浮気している」

「そういうことはないけど」

「じゃあ」と智美ちゃんは言った。

「いや、でも」

口籠《くちご》もった僕に智美ちゃんが畳みかけた。

「そういうことって、たぶん、男の人同士のほうが話しやすいと思うんですよ。父は神田先生のこと、すごく好きみたいだし。男の子が欲しかったらしいんですけど、私しか生まれなくて。だから、神田先生といると、息子がいたらこんな風だったろうなって思っていると思うんです。時々、二人でお酒を飲んでいるところを見ているとそう思います。父だって、神田先生になら話しやすいこともあると思うんです。だから、ね？」

智美ちゃんは僕に向かって両手を合わせた。それ以上の断り文句が僕には思いつけなかった。それ以上を言えば、僕が本気で脇坂氏を疑っていることになる。

「わかった。聞くだけは聞いてみるよ」

僕は言い、次の日曜日、脇坂氏と打ちっぱなしに行く約束を取りつけた。

笑い飛ばすだろう、という僕の期待を脇坂氏は簡単に裏切った。肯定したわけではない。が、否定しなければ同じことだ。

「そうか。そんなことが」

脇坂氏はそう言ってうつむいた。

「心当たりが？」

僕はコーヒーを飲みながら言った。脇坂氏は首を振って答えなかった。

日曜日の練習場のコーヒーショップでは素人ゴルファーたちがゴルフ談義に花を咲かせていた。スコアが百を切ったの切らないのと、いい年をしたおっさんたちが語り合う姿に、僕は病院にいる老人の姿を重ねてみた。年にすれば二十と違うまい。人類が延々と歩き続けた何万年という歩みの中のたった二十年が、一方を殺人者にし、他方を素人ゴルファーにした。そういう考え方は短絡的に過ぎるのだろうか。

いたくていたわけじゃねえけどな。

老人の言った何気ない一言が、そこに込められた意味が、その残酷さが、憂鬱《ゆううつ》な渦になって僕を襲った。

殺す気はなかった。殺される気だってなかった。それでも一人死んだ。そういう時代があった。一人が死に、罪が生まれた。生まれた罪は時代を生き延びて、死を前にした老人の中ですら、いまだに罰を求めてさ迷い歩いている。

「まあ、いいです。誰が死ぬわけでもないですから」と僕は言ってみた。

脇坂氏は力なく笑った。

「僕はもう行きますが」と自分の分のコーヒー代を財布から出しながら僕は言った。「脇坂さんはどうなさいます？」

脇坂氏は壁にかかった時計に視線を走らせた。

「これから人と会う約束があってね。もう少しここで時間を潰してから行くよ」

脇坂氏は計るように、そしておもねるように僕の顔をちらりと見た。家では決して見せたことのない表情だった。

「誰と会うのか知りませんけど」

何かを言われる前に僕は先手を打った。

「僕をアリバイに使うのはやめてください。今日、僕は脇坂さんと午後の二時半まで一緒にいた。練習場のコーヒーショップで別れて、それから先は知りません。誰に聞かれてもそう答えます。いいですね？」

脇坂氏は頷いた。ふて腐れたようなその顔に僕はどうしてももう一言言いたくなった。

「それから、再来週の日曜日はその人と約束しないほうがいいです」

なぜ？

脇坂氏の目が聞いた。

「智美ちゃんの舞台です。照明だって立派なスタッフです。毎日、稽古《けいこ》してます。観に行くでしょう？」

脇坂氏の返事を待たずに、僕はコーヒーショップを出た。

「脇坂はどんな顔をしていた？」

「ふて腐れた子供みたいな顔でしたよ。期待した玩具を買ってもらえなかったような。男同士なら話が通じて、肩を持ってもらえるとでも思ったんですかね」

老人は煙草をくゆらせながら眉根を寄せた。

「家庭は？」

「今のところは静かなもんです。僕だって、まさかその通りを言うわけにもいかないし、奥さんも何事もないような顔はしていますけど」

「けど？」

「寸前ですね。何かきっかけがあれば暴発するかもしれません。家中の空気がぴりぴりしてます。僕がいる時間には脇坂氏は帰宅しないようになりました。まさか、毎回、浮気しているわけじゃないでしょうけど、帰りにくいんでしょう。無言電話も続いているみたいだし。相手の女も罪なことをします」

老人はくわえ煙草のまま、ぐっと考え込んだ。どんなに老人が願っても、こんな事態に役に立つことができるとは思えなかった。

「相手の女を探り出して、話をつけてみますか？」

老人は首を振った。

「そいつはうまくねえだろう」

「そうですね」と僕も頷いた。

追い詰められたその人に開き直られても困る。大体、家庭を持った男が自分の勝手で浮気をしているのだ。無言電話くらいで済んでいることを脇坂氏はむしろ幸運に思うべきだろう。

「しばらく様子を見るしかねえだろ。報告、続けてくれや」

喫煙所を出たところで、老人がエレベーターのほうへ顎をしゃくった。

「ちょっと付き合え」

僕はカートを押しながら老人とともにエレベーターで一階に降りた。正面出入り口の脇にある売店の前まできて、老人は立ち止まった。

「煙草、買ってきてくれ」

「はい？」

「医者が手を回したらしくてよ。売店のやつら、俺には売ってくれねえんだよ」

「この際だから、煙草、やめたほうがいいんじゃないですか？」

「何で？」

「何でって」

「健康のために、か？」

老人と目を合わせ、僕は笑い出してしまった。老人の言う通りだった。

「ショートホープな。面倒臭えから、十個ほど買ってきてくれ」

お金を受け取り、売店で煙草を買って、老人のもとに戻ると、老人は正面出入り口のほうを眺めていた。自動ドアに向かって歩いていく女の人がいた。両手に紙袋を提げていた。退院する患者さんだろうか。自動ドアの手前で足を止めた彼女は後ろを振り返り、最後の見納めのようにざっと辺りを見回した。自分を見ている僕と老人の姿を見つけ、彼女は微かに頭を下げた。不躾《ぶしつけ》な自分の視線に気づいて僕は彼女から視線を外したのだが、老人は頷くように会釈を返した。自動ドアを出ていった彼女を明るい陽射しが包んだ。

「やっぱり、煙草、やめますか？」

その後ろ姿をいつまでも見送っている老人に僕は聞いた。

「しゃらくせえ」

老人は吐き捨てて、僕の手から煙草の入ったビニール袋を取り上げた。

4

「いくら？」

智美ちゃんは片手を広げた。

「五万、じゃないよね？」

「五十万です」

ボルボに乗っていたって、自家製クッキーを焼いていたって、レミーマルタンを飲んでいたって、勤め人は勤め人だ。給料は限られている。五十万は、やはり大金だろう。

「そりゃ、母もキレますよね」と智美ちゃんは言った。「何の断りもなく、貯金から五十万も下ろされてたら」

「そんな大金を、お父さん、何に使ったの？」

さあ、と言うように智美ちゃんは軽く肩をすくめた。ふわりと揺れた軽そうな髪は、茶というよりももう金色に近い。眼鏡もコンタクトに替えたようだ。ちょっと前の流行なのではないかと思える派手なメイクは、幼児の塗り絵のようにずいぶんとムラが目立った。大人の男ならその努力に微笑してくれるかもしれないけれど、同年代の男の子ならばその不器用さに失笑するだろう。

「ずいぶん派手に染めたね」と僕は言った。

ああ、これ？

智美ちゃんは見せびらかすように自分の髪を手ですいた。

「ちょっと気分を変えようかと思って。みんな染めてるし」

「似合ってる」と僕は言ってみた。「いかにも今時の高校生っぽくて、悪くない」

智美ちゃんはじっと僕の顔を見てから笑った。

「神田先生の褒め言葉って、皮肉に聞こえます」

「そっか。モテなかったわけだ」

「お願いがあるんですけど、いいですか？」

その金色の毛先を指でもてあそびながら智美ちゃんは言った。

「何？」

「今度の土曜日の夜、一緒にいるってことにしておいてくれませんか？　私は、神田先生の家で特別補習を受けてるってことに」

「その間に人でも殺すの？」と僕は言った。「たぶん、駄目だろうな。警察で拷問を受けたら、僕は喋っちゃうと思う」

「渋谷のクラブでパーティーがあるんです。友達に頼まれちゃって。うちの学校の子ならただで入れるから、絶対きてくれって。でも、きっと遅くなるから、父と母には、ね？　お願い」

智美ちゃんは僕を拝んでみせた。それがどんな種類のパーティーなのか、僕は聞く気にもなれなかった。男の子と女の子がいて、酒ぐらいはあるのだろう。薬だってあるのかもしれない。高校生だって天使じゃないし、僕らが生きているのも天国じゃない。

「舞台は？」と僕は聞いた。

「舞台？」

「今度の土曜日ってことは、その次の日が舞台だろ？　練習とかないの？　最後の通し稽古とか」

「ああ、あれ。他の人に代わってもらいました」

「え？」

「だって馬鹿馬鹿しくなっちゃって。照明なんて誰だってできるし」

「馬鹿馬鹿しくなって、照明係をやめて、髪の毛を染めて、眉毛を剃って、夜通し馬鹿騒ぎをするのか？」

思わず大きくなった僕の声に、智美ちゃんは怯えたように視線を逸らした。

「怒んないでください」

「悪かったよ」と僕は言った。「でも、なあ、個人が個人として生きられる時代なんてそうはない。今まで生きてきた人類のほとんどは、歴史の流れとか国家の都合とか、そういうおっきなものの中で、やりたくないことを無理やりやらされて生きてきたんだ。そういう名もない人たちがたくさん血を流したり、滅茶苦茶に傷ついたりしながら、ようやく人類はここまで辿りついた」

だから、何よ？

智美ちゃんの目がそう聞いた。

だから、何だったろう、と僕も考えた。

「だから、せっかくこんな時代に生まれたんだから、君は自分の人生を誠実に全うすればいいと思う。髪の毛染めるのも、馬鹿騒ぎするのも好きにすればいいけど、他にもうちょっと何かないもんかな？　人には自慢できなくたって、自分の中で胸を張れるような」

関係ないでしょ。

智美ちゃんの目が言った。

その通りだった。何の関係もない。

父親の浮気でぎすぎすしている家庭に暮らす高校生が、ある日、突然、良い子をやめたくなったとしたって、誰にも責められるわけがない。いくら国が平和だからって、そんなことは関係ない。それは君の人生なんだと言ってみたところで、彼女が無力な高校生であることに変わりはない。与えられた役割くらいきちんとこなせと叱ろうにも、先に役を降りたのは父親のほうなのだ。どうせ舞台は壊れている。そもそもそんな言葉を発している僕にしたって、智美ちゃんに何かを言えるほど誇れるものを胸のうちに抱えているわけでもなかった。

僕が適当な言葉を探し出す前に、間の抜けた電子音の旋律が響いた。智美ちゃんは小さな黒いリュックから携帯電話を取り出し、それに向かって話し始めた。まだ三十分以上も時間は残っていたが、僕は智美ちゃんの部屋を出た。

階下では奥さんが虚空を眺めていた。作りかけのクッキーが型を取られないまま、テーブルの上にあった。

「今日は、もう行きます」と僕は言った。

「え?」

奥さんが虚空から僕に視線を移した。けれど、虚空も僕も、奥さんにとってはあまり違いはなかったようだ。その目の虚ろな表情は変わらなかった。

「もう行きます」と僕は繰り返した。

「ああ」と奥さんは言った。「もうそんな時間?」

「いえ、ちょっと早いですけど」

「智美は?」

「部屋で電話をしています」

「クッキー、手伝ってくれるかしら」

「さあ」

僕が玄関で靴を履いている間に、階下の奥さんが二階の智美ちゃんに呼びかける声がした。智美、ちょっと手伝って。クッキー、焼くの。

僕が家を出るまでの間に智美ちゃんの返事はなかった。


「大概のものは作り上げるより、叩き壊すほうがたやすいものです」

「知った風な口を」

老人は力なく笑った。鼻やら腕やらにチューブを差し込まれたその姿は、特殊な実験のために用意された特殊な生き物みたいだった。

「かなり、悪いんですって？」

「自慢じゃねえけどな」

そうしていることすら億劫《おっくう》なのか、老人は目を開けずに言った。

「今、この病院で一番あっちに近いのは、俺だな」

たぶん、その通りなのだろう。老人は、三階の一番端にある個室に病室を移されていた。

そこに移されるということは、医療スタッフたちが残りの時間を数え始めたということだ。

病院にいる人なら誰でも知っている。そういう部屋だった。

「そうは見えませんでした」と僕は言った。「ここまで急に悪くなるだなんて」

「世の中、見たまんまのものってのは少ねえよ」

「おっしゃる通り」

「行くのか?」

椅子から腰を浮かせた僕に老人は言った。

「まだ、仕事中ですから」

「報告は続けてくれ」と老人は言った。「どうせ、もうじき終わるからよ」

ええ、と頷きかけたのを、すんでのところで押し留めた。

「気弱なことを言わないでください」

しゃらくせえ。

老人は笑った。

病室を出たところに森野が立っていた。僕のカートがその脇にあった。どう見たって僕を待っていたようにしか思えなかったが、森野は僕に視線を合わせなかった。

「何?」と僕は声をかけた。

「いつも何を話してるんだ?」

やはり視線は合わせないまま、僕が出てきた病室のドアのほうへと頭を振って、森野は聞いた。

「何ってこともない世間話」と僕は答えた。「下がる一方の株価のこととか、海の向こうの戦争のこととか」

　森野は鼻を鳴らした。

「何だよ」と僕は言った。

「ちょっと顔貸せ」

　森野は先に立って歩き出した。僕はカートを押して、そのあとに従った。喫煙所を覗き込んで誰もいないことを確認すると、森野は中に入り煙草をくわえた。僕も森野の向かいに座った。

「米田《よねだ》アケビってバア様、知ってるか？」

　煙草を取り出して火をつけると、煙を吐き出すついでのように森野が言った。

「ああ、うん」と僕は頷いた。「知ってるけど？」

　米田アケビ。僕に貸しを押しつけたまま死んでいった大正生まれの老女。

「そのバア様に頼まれて、バア様の死後、お前の銀行口座にバア様の全財産を振り込んだって言ってる人がいる。本当なのか？」

「ああ」と僕は頷いた。「本当だよ」

「どういう金だ？」

　初めて僕に視線を合わせて森野が聞いた。僕は口籠もった。取り立てて言わないという約束をしたわけでもないが、言っていいという許可を貰ったわけでもない。

　彼女、米田アケビには好いた男がいた。

昔も昔。大昔の話ですよ。

男は大店《おおだな》の跡取り息子。彼女はそこで働く使用人の娘。二人が交わした約束は、一方的に男から反故《ほご》にされた。

大昔ですからねえ。仕方なかったんですけどねえ。

男は別な女と結婚し、店を継いだ。時代の動乱を見事に乗り切り、米田アケビはその姿を経済誌のグラビアに見た。ひ孫にまで囲まれた男の幸福そうな姿に……

疼《うず》いたんです、と老女は言った。

疼きましたか、と僕は笑った。

僕は米田アケビの金で人を雇った。六十歳ほどの夫婦役が一組。その息子夫婦役が一組。さらにその子供役に男の子と女の子を一人ずつ。しかるべき事務所に頼めば、一人二万前後で手配してくれる。

夕方、男が日課に散歩をするというその公園で僕らは男を待った。男がきた。その前を横切るように二人の子供が走る。大おばあちゃん。男の視線が子供の走る先を追う。そして、二人の目が合った。米田アケビはでき過ぎた家族に囲まれた幸せな老女を演じるはず、だった。けれど……

やめましょう。

近づいてきた男を前に、米田アケビの演技は五分と続かなかった。僕は雇ったエキストラたちを帰した。

ご家族は？

男が聞いた。

恵まれませんでねえ。

女は笑った。

その艶やかさにはっとする男の顔を僕は確かに見た。

歩きましょうか。

男が誘った。女が頷いた。

遠く満開の桜の下、暮れかけた日を背にゆっくりと歩く二人の姿は、今でも僕の脳裏にある。

米田アケビの死後、米田アケビの墓の前で泣く男の姿があった。それは女を永遠に失った男の痛恨の泣き顔だった。彼女は見事に復讐を遂げたのだと、僕は今でもそう思っている。

「今度は三枝さんだってな、一部で囁《ささや》かれてる」

また煙を吐き出すついでのように森野が言い、僕は我に返った。

「え？」

「死に際の人と仲良くなって、遺産を貰ってるって」

僕は唖然とした。

「遺産って、だって、三枝さんには家族がいる。僕のところになんてくるわけないだろ」

「私が言ってるんじゃないよ。そう言っている人もいるって話さ。恨むなら自分の人徳のなさを恨め」

老人と一緒にいるときに喫煙所に入ってきた速水さんを思い浮かべた。そういうタイプにも見えなかったが、噂の出所は速水さんかもしれない。人は見かけではわからない。

ふと思いついて、僕は聞いた。

「森野も？」

「うん？」

「そう思ってるのか？」

森野は顔を上げ、煙をぷかりと丸く輪の形に吐き出した。続いて吐き出した煙を吹きつけて輪っかを壊し、森野は言った。

「たぶん、お前はバア様に何かをしてあげたんだろう。バア様はその感謝の印としてお前に全財産を遺した。お前にとってそれは予想外のものだった。返したくたってバア様はもう死んでいる。だから、お前は当てのない借りをどこかで返そうとしている。そのために余計なものを背《しょ》負い込もうとしている」

違うか？

そう問いかけるように森野は僕を見た。僕としては苦笑を返すしかなかった。苦笑した僕を見て、森野も表情を緩めた。

「まあ、どうでもいいけどな。でも、あんまり余計なものは背負い込むな。お前、最近、険しい顔してるぞ。気づいてないかもしれないけど、お前の頭は偏差値ほどには良くはない」

「覚えておくよ」

「そうしな」

灰皿に煙草を放り込んで森野は立ち上がった。

「森野」

「うん？」

「あ、いや。何でもない」

じゃな。

肩越しに手を振って、森野は喫煙所を出ていった。

5

午後七時。居酒屋にはぼつぼつと人が入り始めていた。電話で僕を呼び出した脇坂氏は最初のビールを一息に飲み干すと、用件を告げた。

「つまり、クビ、ですね」

僕は脇坂氏に言った。何が変わったというわけではないが、僕が最初に見たときとは明らかに何かが違っていた。漏らすため息がひどく年寄り臭かった。もともと痩せているはずのその体も、今は何か病的なものを感じさせる。

「君が悪いわけじゃない。君はよくやってくれたと思う。でも家計が苦しくてね。恥ずかしい話だけど。それに智美も家庭教師はもういいと言っているし」

「仕方ないでしょうね」と僕は言った。

この半月の智美ちゃんの変貌《へんぼう》には目を疑うばかりだった。たとえば、今、智美ちゃんと渋谷で擦れ違っても、智美ちゃんをその他大勢の同世代の群の中から識別できる自信が、僕にはない。強い動物は牙を振るう。弱い動物は擬態する。周囲の景色の中に身を紛れさせようとする智美ちゃんに、これ以上、僕がかけられる言葉などあるはずもなかった。

「どうなさるおつもりです？　これから」と僕は聞いた。

「何とかするよ」と脇坂氏は言った。「私の失態から始まったことだ。何とかする」

頼られたところで僕に何ができるわけでもなく、脇坂氏が何とかすると言うのなら、その言葉を信じるしかない。

「こういうことを考えたことがありますか」と僕は言った。「たとえば、自分の知らない人が、自分のことをとても心配してくれていて、自分の知らない間に、自分のことをじっと見守ってくれている」

「何の話だい？」

「たとえば、ですよ。そういう、自分の知らない温かな視線があるとしたら、人生はもう少し違うものに思えるんじゃないかと思って」

「わからないな」と脇坂氏は気まずそうに笑った。

いっそすべてを言ってしまいたかったが、老人の許可もなしにそんな出過ぎた真似はできなかった。隣の席では年の離れた二人の男性が、黙りこくって酒を酌み交わしていた。一人は六十過ぎ。もう一人は四十辺り。黙って銚子を差し交わす二人の間には、傍目《はため》にも心地よい親密さがあった。深い信頼を寄せ合う上司と部下かもしれないし、互いの人生の一番厳しい時期を乗り越えた親子かもしれない。

「たとえば、そうですね、たとえば、お父さんはどうです？」と僕は言った。

「親父？」と脇坂氏が聞き返した。「親父が、何？」

「いえ、だから、たとえば、です。たとえば、亡くなられたお父さんが脇坂さんのことをずっと見守っているとか。子供じみていますけど、そう考えるだけで、何か救われるような気分になることってないですか？」

親父か。そういえば、最近、墓参りもしてないな。

そう呟いて、脇坂氏は懐かしむように目を細めた。

「厳しい親父だった。ずっと反発していたけれどね。今思えば、あれはあれで父親の正しい一つのあり方だったんだろうな」

呟いてビールを干した脇坂氏をよそに、僕はその言葉と脇坂氏の年齢のずれを考えた。あらためて年齢を確認したことはないが、脇坂氏はどう見たって六十より手前。昭和十年代後半だろう。父親が死んだのは、昭和十八、九年辺り。その年に出征したとしたって、脇坂氏はせいぜい二つか三つ。二つか三つの子供が、父親に『反発』するものだろうか。しかも

『ずっと』。

「失礼ですが」と僕は努めてゆっくりと聞いた。「脇坂さんは何年生まれです?」

「昭和二十五年だけど」

十八、九年に父親が死んでいるという先入観さえなければ、脇坂氏は確かにそれくらいに見える。そして死者は子供を作らない。

「お父さんは」

僕は聞いた。

「どんな方でした?」

変わった僕の声のトーンに怪訝《けげん》そうな表情を見せたが、脇坂氏はすぐに自分の回想にひたった。

「昔は軍人でね。軍では少尉までつとめたとか言ってたかな。戦争が終わってからは、色んな職を転々とした。自分が苦労したからだろうな。私には厳しかった。死んで、そうだな、もう三十年にもなるんだな。昔の友達と飲むんだとか言って出かけていって、ずいぶん飲んだらしい。帰りに電車のホームで足を滑らせてね。きた電車にはねられた。そうか。あれから三十年か」

僕は席を立った。

「ひどい、ですね」と僕は言った。

老人は声を出さずに笑った。すでに死相の浮いたその顔が笑いに歪むと、それはとても人間の姿には見えなかった。形のない概念が宿った仮の姿。あるいは死の領域に棲むたましい。死霊。

「脇坂は少尉の名前ですね。あなたの小隊の隊長。あなたに軍刀を渡したその人が脇坂」

死霊は目を閉じた。

「わかりませんね。その人の息子の家庭を覗いて、いったい何が楽しいんです？」

楽しかねえさ、と死霊は言った。

「復讐、ですか？　脇坂少尉があなたに殺しを命じた。あなたは亡霊に取りつかれた。そのことへの、復讐ですか？」

座れ、というように死霊は手のひらを下へ向けて振った。僕は座らなかった。

「あなたは脇坂氏が間違いを犯したというその相手に心当たりがあるんじゃないですか？あなたが誰かに頼んで脇坂氏を誘惑させたんじゃないんですか？　ちょうど僕を使ったのと同じように、復讐のためにあなたは脇坂氏の家庭を……」

復讐？

今度は声を立てて死霊は笑った。

「あの、なあ」

大儀そうに死霊は口を開いた。

「嘘だよ。俺の殺したそいつの名前が脇坂じゃなかったように、そいつの亡霊にまとわりつかれてるなんて大嘘だよ。殺したその日の夜にだって、俺はそんなやつのこと、一つも思い出しゃしなかった。俺に取りついたのは」

死霊は言った。

「鬼だ」

死霊の顔に、怯えに似た表情が浮かんだ。

「鬼？」

「ああ。鬼だよ。俺に軍刀を渡したのは少尉じゃねえ。鬼だ。それがどうしても少尉だっていうのなら、少尉は鬼だったんだ」

斬れ、殺せ、と誰かが言う。言葉は抗うことのできない呪詛《じゅそ》となって人を襲う。人に人であらざることを押しつける力の源は、だから人ではあるまい。人でなければ、それは、鬼、か。

「昼も夜も、あの顔が俺にまとわりついた。斬れ。殺せ。俺が許す。そう言い続けた。戦争が終わったって、鬼は死ななかったんだよ。鬼の呪いは続いた。だから俺は鬼を探した。鬼の呪いから逃れるためにな。必死に探し回って、やっと見つけた。あれから二十五年以上も経って、やっと見つけた」

死霊はむせた。そして続けた。

「忘れたまえ。そう言いやがった。鬼がよ。鬼の分際で人間みたいなことを言いやがった。あのときは私も君もどうかしていた。だから忘れたまえ。忘れて、新たな日本の礎《いしずえ》になることこそ、死んでいった者への手向《たむ》けではないか」

死霊は笑った。

「そう言いやがったよ。鬼がよ。鬼のくせに」

死霊の声はかすんでいて、聞き取りにくかった。僕は椅子に座った。その耳もとに口を寄せ、聞いた。

「だから、殺したんですか？」

ためらいさえしなかった。むしろ得々として死霊は言った。

「鬼を殺すとは言わねえだろ。鬼は退治するって言うんだ。桃太郎だってやっただろ？」

桃太郎さんは酔った鬼をホームから突き落としました。でも……

「でも」と死霊は続けた。「鬼はまだ俺の周りをうろつきやがった。斬れ。殺せ。斬れ。殺せ」

鬼はまだ死んでいなかった。

だから……？

「鬼の子供はやっぱり鬼だろうよ。どんなに奇麗な顔してたって、一皮剝《む》けば鬼の顔が出てくらあ。どろんとした目玉に、堅い毛に覆われた汚ねえツラがよ」

それを待った。何年も。何年も。

「まあ、こんないい時代だ。鬼も考える。そうそう尻尾《しっぽ》は出さねえな」

だから、誘った。

「おかしな時代だな。こんなに何でもできるのに、なあ、鬼退治を手伝ってくれる奇特な人もいるんだから」

「誰です？」

「知らねえよ。名前はマイちゃん。ツボタマイ。電話でしか話したことはねえ。十六歳。高二だって言ってたな。今時の電話は便利だな。色んなことができる。脇坂に近づいたら三万。うまく誘惑できたら五万。以後、一回寝るごとに三万。ルールは決して俺の存在を脇坂に知らせないこと。本当に誘惑できたかどうかは、もう一個、別な目が監視してるってな」

「別な目？」

「お前だよ。週に二回だけだけどな。脇坂の帰宅した時間を教えてくれた。マイちゃん、嘘はついてなかったみたいだな。最初のほうでお前からの報告とにずれがなかったから、あとはマイちゃんの申告通りに支払った。銀行振込でな。マイちゃん、三十二万も稼いでほくほくしてたよ。会うたびに脇坂からも小遣いをもらってたからな。いったい何に使うんだろうな」

「五十万というのは？　あなたが脅迫させたんですか？　そのマイちゃんに」

「知らねえよ、そんなことは。ただ、脇坂が今役員に残れるかどうか微妙なところで、五十万くらいなら出すだろうなって、まあ、独り言だな。電話でそう言ったことは言ったな。十六の女の子に金銭を与えて性的関係を結ぶのは、犯罪だよな。家庭が崩壊することより、自分の社会的立場が心配だったんだろう。鬼の野郎はよ」

「僕はその不幸を報告するために雇われたんですね？　楽しかったでしょう？　脇坂氏の家庭が崩壊する様は」

　家庭崩壊？

　死霊は言った。

　興味ねえな、そんなもん。

「じゃあ、いったい」

「今、何時だ？」

「はい？」

「時間だよ。何時だ？」

「八時少し過ぎです。面会時間ならまだ残ってますよ」

　んなこと言ってねえや。

　死霊は言った。

「じゃあ、何です？」

「今日の八時、マイちゃんは脇坂に会う。脇坂はもう別れたがってる。マイちゃんはまとまった金さえもらえれば別れてもいいと思ってる。で、なあ、俺、その妥当な額を聞かれたんだよ。あといくらくらいなら脇坂は出すかってな。俺は二百万くらいならなんとかするんじゃねえかって答えちまったけど、今思うとなあ、ちょっと無理かもしれねえなあ」

　無理だろう。五十万に続いて二百万。仮にその二百万が用意できたとしても、そこで終わるという確かな保証がない以上、二百万もの金を払う気にはなるまい。とすると、脇坂氏は、どうする？

僕はついさっきまで一緒にいた脇坂氏の思いつめた表情を思い出した。

何とかするよ。私の失態から始まったことだ。何とか……

僕と死霊の目が合った。死霊はにたりと笑った。

生まれた罪が求めたものは罰。自らを罰せられないというのなら、罰するための新たな罪を生むしかない。

「どこです」

僕は死霊の腕をつかんだ。つかんだ細い腕はぞっとするほどに冷たかった。

「二人はどこで会うんです？」

「さあな。マイちゃんに聞けよ。俺は知らねえ」

僕は立ち上がった。何がどうできるわけではないが、そうせずにはいられなかった。脇坂氏と会ったあの近くの繁華街。あるいはホテル街。滅茶苦茶に歩き回れば、出くわす可能性だってなくはない。

歩き出そうとした僕の腕を死霊がつかみ返した。

「待てよ」

死霊は言った。

「最後の報告が終わってねえ」

「最後の報告？」

「最後に会ったとき、そのとき脇坂は――」

――脇坂は、どんな顔をしていた？

僕の背筋が震えた。

「見てな」

それは笑った。笑いに歪んだその顔がゆっくりと形を変えた。

「鬼が鬼になるぜ」

僕はそこに見つけた。呪いがとけなかったそのわけを。

鬼は……

「鬼は」

死なない。

「死なない」

「何？」

「鬼は死なないんだよ。自分が寄生した人間が死ねば、一番近くにいた人に乗り移る。だから、鬼は乗り移った。脇坂少尉が死ぬ前に。その一番近くにいた人に。あんたに」

今、目の前に鏡を差し出せば、老人はその中に探し求めていた顔を見つけるだろう。

信じられないほど強い力で僕の腕をつかんでいた手から不意に力が抜けた。

「爺さん、仲良く死ねよな。脇坂少尉からもらった鬼と一緒に」

僕は背を向けた。

「嘘だ」

背後に絶叫を聞いた。僕は構わず病室を出た。

嘘だ。違う。俺は、俺は……

廊下で病室へと駆け込む看護婦さんたちと擦れ違った。

俺は……

俺は、何だと言いたかったのだろう？


僕の捜索は徒労に終わった。散々歩き回ったが、脇坂氏を見つけることはできなかった。翌日の新聞に、女子高生の他殺死体発見という記事がなかったことに、僕は胸を撫で下ろした。


老人は翌日に死んだ。未明から意識が混濁していたというから、その記事がなかったことを確認はできなかったろう。老人にとってそれが幸いだったのかどうか。

主電源が切られているようだ。ぷかりと吐き出した煙を空気清浄機は吸い込まなかった。電源を探してみたが、見当たらなかった。

「ちゃんと働けよな」と呟くと、「お前もな」と背後から言い返された。振り返ると森野が立っていた。喫煙所に入ってきたが椅子には座らず、壁に寄りかかったまま森野は煙草に火をつけた。

「仕事？」

「爺さん、死んだろ？　ちゃんと名刺を渡しておいてくれたらしくてよ。家族から連絡があった」

「そう」

「もう、持ってくぞ。最後に爺さんの顔、見るか？」

「顔？」

「見たけりゃ、私の職権で特別に見せてやる。お別れの言葉とかないのか？　仲良さそうだったじゃないか」

「別に良くないよ」と僕は言った。「別に良くない」

「そうか」

弾みをつけて壁から体を離すと、森野はまだ一口しか吸っていない煙草を灰皿に捨てた。どうやら煙草を吸いたくてここにきたわけでもないらしい。わざわざ僕を探しにきてくれたということか。

「なあ、森野」

ぶらりと歩き始めた森野を僕は呼び止めた。

「その仕事、疲れないか？」

「別に」

その質問の本当の意味を探るようにしばらく僕の顔を眺めていた森野は、やがて諦めたように質問だけに答えた。

「死んじまえば、口もきかないからな。愚痴も泣き言も文句も言わないし。生きてる人間相手にするよりはよほど楽さ。私には性に合ってる」

僕は正面の献立表を見た。今日の夕食はイワシのつみれに中華風サラダ。ご飯。お茶。どうやらまともな食事らしい。老人が食べることのなかったまともな食事。

「なあ」

「何だ？」

「爺さん、どんな顔してた？　見たんだろ？」

森野はその顔を思い出すようにしばらく宙を見てから、答えた。

「別に。普通だよ」

「まったく？」

「ああ。死んだ人間の顔なんて、大体、あんなもんだ」

「そっか。普通か」

行っていいか、と聞くように森野は喫煙所の出口を親指で差した。

「ああ。ありがとう」

「ありがとう？」

森野は驚いたように眉を上げた。

「ありがとう？」

苦笑すると森野は首を振りながら喫煙所を出ていった。

僕は考える。もし、老人の前に現れたのが、鼠色の作業着の掃除夫ではなく、黒衣の必殺仕事人だったなら、彼は老人の中の鬼を、それだけを退治することができたのだろうか、と。

そしてふと思い出す。舞い散る桜の季節、艶やかさだけを記憶に残し、粛々と逝った老女の姿を。

僕にはまだまだ学ばなければならないことが多過ぎる。

僕は椅子から立ち上がった。喫煙所を出る間際、しわがれた声を聞いたような気がして振り返った。

しゃらくせえ。

振り返った先には、今しがた吐き出されたばかりのような紫煙が渦を作っていた。

「おっしゃる通り」

呟き返して僕は、喫煙所をあとにした。

ACT.2 WISH

1

愛嬌《あいきょう》のある顔だった。ふっくらとした頬に黒目がちの大きな目。病院のベッドに寝かせるよりは、舌を出したポーズでケーキ屋の前にでも置いておきたくなる。顔全体が少しむくんでいるような気がするものの、こんなところで寝てさえいなければ誰も彼女が病人だとは思わないだろう。それでも役立たずの現代医学によれば、彼女の心臓はいつ止まってもおかしくない状態だという。これまで動いていたこと自体が奇跡に近いのだと。

今井美子《いまいよしこ》ちゃん。十四歳。彼女の心臓に異状が見つかったのは、ずっと小さなころだったと聞いた。長期の内科的治療が続けられたものの完治はしなかった。今回の入院は手術を前提としたものだったが、心臓がそれに耐えられるかどうか、今は検査中だという。仮に手術ができても治癒の可能性はきわめて低いらしい。

いい子なのにねえ。あんな若いのに。

病院内の情報に一番聡《さと》いのは、医師でも看護婦でもなく、清掃のパートをするおばちゃんたちだ。情報を求めてそれとなく聞いて回ったところ、誰もが口を揃えてそう言った。僕自身、会うたびごとにかけられる彼女の元気な挨拶には、いつも明るい気持ちにさせられていた。

「あ、ご苦労様です。ごみなら、ええっと、今は特にないです」

病室に入ってきた僕に気づき、彼女は自分のベッドの周りをぐるりと見渡して言った。六人部屋の病室には、今、彼女しかいなかった。そうなるまで僕はもう十回以上もこの病室の前を通って、さりげない風を装いながら中の様子をうかがっていた。

「いや、ちょっと別の話なんだけど」と僕は言って、ベッドの脇にあった丸椅子を指差した。

「いいかな？」

「どうぞ」

咄嗟《とっさ》にそう答えたものの、状況はわかっていないらしい。読んでいた文庫本を脇に置いてから、彼女は言葉を促すように僕の顔を眺めた。

「お母さんから聞いてね」と僕は丸椅子に座って言った。「人を探しているって？」

「は？」

一瞬、ぽかんとした彼女は、次の瞬間、思い当たったように口を丸い形に開いた。

「あ、お兄さんが、あの？」

「頼みがあるなら聞かせてくれないかな」

清掃員用の控え室に中年の女性が現れたのは、昨日の午後のことだった。僕は休憩時間中で、パイプ椅子に座りながら、さして興味のある記事が載っているわけでもない週刊誌をぱらぱらとめくっていた。入院患者が読み終えた新聞や雑誌は古紙回収の日まで控え室の片隅に積まれていて、清掃員たちの短い休憩時間を潰してくれる。僕の隣では、速水さんが相変わらずイヤフォンを耳に突っ込んだまま、経済新聞の株式市場の欄を読んでいた。パートのおばちゃんたちの情報によれば、三、四年前に旦那さんを亡くした速水さんは、今は年金とパート代で細々と生計を立てているはずだった。だからそれは、投資先をチェックしているわけでも、新しい投資先を探しているわけでもなく、僕同様ただの暇潰しなのだろう。

最後までめくり終えてしまった週刊誌を閉じたところで、部屋のドアがノックされた。

「はい」

僕が応じると、中年の女性がドアを開けた。入っていった自分に目を向けもしない速水さんは諦めて、女性は僕におずおずと切り出した。

「あの、こういう噂、聞いたことないでしょうか。必殺仕事人伝説って呼ばれている噂らしいんですけど」

速水さんが新聞をばさりと下ろして、女性に目を向けた。突然、自分に興味を示したらしき速水さんの強い視線に、女性は一瞬たじろいだが、すぐに僕と速水さんを交互に見ながら続けた。

「この病院には死を前にした患者の願い事を何でもかなえてくれる人がいるっていう噂です。それは掃除夫の人だって、そういう噂なんですけど」

女性に目を向けたのは、音楽にまぎれて何かを聞き間違えたからだったようだ。速水さんは興味をなくしたようにまた経済新聞を読み始めた。

「さあ」

うかつに頷くこともできず、僕は女性に言った。

「初めて聞きますけど」

「そうですか」

女性はがっかりしたようにうつむいた。やややつれた顔には見えるものの、命に関わる病気をしているようには見えなかった。着ている服も入院着ではなく、麻色の普通のワンピースだ。

「でも、ええと」と僕は言った。「見たところ、お元気のようですが?」

「ああ」と女性は力のない笑みを見せた。「私じゃないんです。娘なんです」

「ああ、お嬢さん」

言われて僕は、その女性に面影の似た入院患者の女の子がいることを思い出した。

「あの、ひょっとして二〇八号室の」

「ええ。今井美子です」

「でも、娘さん、そんなに悪いんですか? とてもそうは」

見えませんけど、と僕が言い終える前に、女性の目に涙が浮かんだ。

「まだ十四歳なんです」

彼女は震える声でそう言った。

お母さん、こんな話、知ってる？

彼女の娘が、笑いながらその話をしたのは、二日前のことだったという。さりげなく話す娘の目の中に、微かな期待感があるのを母は見つけた。

「大したことではないのかもしれません。人に言えば笑われてしまうような、そんな願い事なのかも」

浮かんだ涙を何とか唇を噛むことで堪《こら》えたあと、彼女は言った。

「それでもかなえてやりたいんです。娘は小さいころからずっと、心臓の病気を抱えていました。いつ死ぬかわからない中でずっと生きてきたんです。かなわない願い事なのかもしれない。でも、かなうかもしれないっていう希望くらいは、せめて持たせてやりたいんです。その人にできないというのなら、話を聞き出してもらうだけでもいいんです。あとは何とか私が……」

そこまでが精一杯の我慢だったようだ。顔を伏せることで溢《あふ》れた涙を隠すと、女性は、すみませんでした、他の人に聞いてみます、と言って、控え室を出ていった。

「大変ですね」

静かに閉じられた扉に僕は思わず呟いた。隣の速水さんは分厚い眼鏡越しに僕の顔をしばらく眺め、やがて不審そうに聞き返した。

「アイアン・メイデン？」

言い直そうとして、僕は首を振った。

「何でもないです。ただの独り言です。気にしないでください」

速水さんはまたしばらく僕の顔を眺め、呆れたように呟いた。

「若いうちから独り言なんて言うんじゃないよ」


「でも、お兄さんはどうしてこんなことをしてるんです？」

今井美子ちゃんはあどけない顔で僕に聞いた。

「ちょっとした成り行きでね」と僕は言った。「どうしようもなかったんだ。巨大な排水溝の渦に巻き込まれたドブネズミみたいなもんさ」

「ドブネズミ？」

「チュウチュウ」

丸椅子を回転させながら僕が言うと、美子ちゃんはころころと笑った。そのまま表に出せば、ケーキ屋じゃなくたって繁盛しそうだった。

「それで」と椅子を止めて僕は聞いた。「頼みって？」

美子ちゃんの顔からすっと笑みが引いた。

「ああ」

美子ちゃんは左腕に巻いていたビーズでできた腕輪をいじりながら、ちょっと目を伏せた。手作りなのだろう。不格好な腕輪だった。誰かからのお見舞いかもしれない。

「何でも言ってみて。できる限りのことだったら何でもするよ」

「誰にも内緒で？」

腕輪をいじったまま、美子ちゃんは上目遣いに僕を見て言った。

「誰にも内緒で」と僕は頷いた。

それでもしばらく迷っていたが、やがて美子ちゃんは手を伸ばして、ベッドサイドのワゴンの引き出しを開けた。その中にあった何冊かの教科書とノートと文庫本を取り出し、さらにその奥を探った。やがて引き出しから抜いた手には、小さなノートがつかまれていた。美子ちゃんはそれを突き出すように僕に差し出した。

「見てもいいの？」

美子ちゃんはこくんと頷いた。

僕は受け取って、ページを開けた。ノートではなく、アルバムだった。見開きで左右に二枚ずつのサービス判を収められる薄い紙の表紙の小さなアルバムだ。

「京都？」

そのアルバムを繰りながら僕は聞いた。寺院と思《おぼ》しき景色の中で美子ちゃんが友達と写っている写真が続いていた。

「修学旅行です」と美子ちゃんが言った。「去年の秋に京都と奈良へ」

「ああ」

美子ちゃんがそれ以上を言わないので、僕は黙ってアルバムをめくっていった。仏像があって、庭園があって、鹿がいる。京都や奈良の景色の中に、美子ちゃんとその友達らしき女の子たちが写っていた。短い髪に活発そうな顔をした小柄な女の子と、眼鏡をかけた髪の長い細面《ほそおもて》の女の子とが美子ちゃんの仲良しらしい。二人の姿が美子ちゃんと一緒に頻繁《ひんぱん》に登場していた。が、目を引いたことといえばそれぐらいで、美子ちゃんにとっては大事な思い出でも、僕が見る限り特に注意を引くような写真はなかった。

「あの」

最後のページで美子ちゃんが小さな声を上げた。

「うん?」

「その写真なんですけど、その最後の」

僕は最後のページに入っていた写真を見た。古い旅館らしい。屋号が掲げられた大きな木の門を前にして、四人が写っていた。美子ちゃんとその二人の友達ともう一人。今までの写真に入っていたのが女の子ばかりだったのに、そこには一人、男が写っていた。同級生ではないだろう。先生にしては若過ぎる。大学生くらい。

「誰?」と僕は先回りして聞いた。

「その旅館に泊まっていた人です。たまたま一人で旅行にきていた大学生です。修学旅行の最後の日に自由時間があったんです。友達と三千院《さんぜんいん》に行きたかったんだけど、でも、旅館からは遠かったし。そうしたら、その人が車で連れていってくれたんです。三人で連れていってもらって、それで、帰ってきてから一緒に写真を撮ったんです。できたら送るって言って、住所も聞いて、それで送ったんですけど、戻ってきちゃって」

美子ちゃんはつかえながら早口で言った。

「その人を見つけて、写真、渡して欲しいんです」

「それが、お願い？」と僕は聞いた。

「あと、できれば、会いにきて欲しいって伝えて欲しいんです。三千院に連れていってもらった中学生の一人だって言えば、覚えていてくれると思うんですけど」

再び目を伏せた美子ちゃんは、口の中でもごもごと言った。

恋、と呼べるほどのものでもないだろう。それはもっと拙《つたな》い感情だと思う。僕の記憶の中にもある、幼稚で不器用で模糊《もこ》とした感情。けれど、その感情を熟成させて、その先にあるものへと結実させるには、美子ちゃんに残された時間はあまりに頼りない。恋すらせずに終えてしまうかもしれない美子ちゃんにとって、その感情がたった一つの拠り所であったとしたって誰も笑えたりしない。

「それくらいなら大丈夫だと思う」と僕は言った。「きっと見つけられるよ」

「お願いします」

美子ちゃんはぺこんと頭を下げた。下げた頭は中々戻らなかった。その不自然な間に僕が下から覗き込むと、美子ちゃんの顔が苦痛に歪んでいた。握り締めた右の拳が左の胸に置かれていた。慌ててナースコールを押そうとした僕を、美子ちゃんは苦しそうな笑顔で制した。

「大丈夫です」

一度深く息を吸って吐き出し、美子ちゃんは繰り返した。

「もう大丈夫です」

「痛むの？」

「時々」

「そう」

「でも、大丈夫です」

美子ちゃんはそれを証明するようにもう一度大きく深呼吸して、僕ににっこりと笑ってみせた。気丈な子だと思う。まだ十四歳で、いつ止まるとも知れない心臓を抱えて、僕ならばこれほど明るい笑顔を作れはしないだろう。

「君はすごいな」と僕は思わず呟いた。「僕ならきっと耐えられないと思う」

ふっと、美子ちゃんの周りの空気が少しだけ温度を下げた気がした。美子ちゃんの口調と眼差しが表情を変えた。

「耐えられなくて、それで、どうするんです？」

淡々とした口調だった。

「死ぬ？」

淡々とした眼差しだった。

「そうだね」

耐えられなくたって、逃げ場なんてどこにもないのだ。

「ごめん」

頭を下げた僕から視線を逸らすように、美子ちゃんは窓の外を見遣《みや》った。雨の季節を祝うような小さな雨粒たちが世界を銀色に染めていた。窓辺の一輪挿しには瑞々しい白い花が生けられていた。誰が持ってくるのだろう。一輪挿しには五日ほどのサイクルで必ず新しい花が生けられている。五日ごとに枯れては捨てられていくその花たちを、美子ちゃんがいったいどんな思いで眺めているのか、僕には想像もつかなかった。

「お兄さんは、アルバイトですよね？」

僕に視線を戻したときには美子ちゃんの口調も眼差しももとに戻っていた。

「一応ね、本職は大学生」

「ずいぶん、バイトに入っているみたいですけど」と咎めるような眼差しを作って美子ちゃんは言った。「ちゃんと通ってるんですか？」

「もう四年だから、授業なんてほとんどないんだ。みんな、就職活動で忙しいし」

言いながら僕は、就職活動のセミナーの申し込みを忘れていたことを思い出した。期限は、明日だったたか。

「大学って楽しいですか？」

「まあ、それなりにね」と僕は頷いた。「楽しかったと思う。別に何をしたって誇れるほどのこともないけど」

「行ってみたいなあ」

美子ちゃんは呟いた。

「行けるさ」と僕は言った。

「行けますかね？」と美子ちゃんは言った。

「行けるよ」

小さいころから病気を抱えていたという美子ちゃんに、いったいどんな慰めが有効なのかわからず、僕は馬鹿みたいに繰り返した。

「きっと行ける」

「そうですよね」

明るく答えた美子ちゃんの顔に、僕は自分を呪いたくなった。ただ力で押しつけるだけの、こういう根拠のない慰めが、一番美子ちゃんをうんざりさせるのかもしれない。もう少しまともな言葉を考えてみたが、どんな言葉も虚しく同情めいて響いてしまいそうだった。病室に中年の患者が戻ってきたのを機に僕は腰を上げた。

「この写真、預かるね。あと、その大学生の住所を教えてくれる？」

大学生が教えたというその住所をメモしてもらって、僕は美子ちゃんの病室を出た。

アルバイトを終え、病院から出たところで、森野と鉢合わせた。裏口から出て、建物を回り込んできたらしい。正面出入り口を避けているのは、職業柄、一応の気は遣っているのだろう。男物の黒い傘を差しているのも、職業柄の気遣いなのだろうか。

「また誰か死んだのか？」

僕が声をかけると、森野は自分の傘をたたみ、僕の差した傘に飛び込んできた。

「私のせいみたいに言うなよ。私がきたから誰かが死ぬんじゃない。誰かが死んだから私がきたんだ」

「遺体は？」

「うちの従業員が車で持ってった」

「そう」

帰るのならどうせ同じ道のりのはずで、僕らは互いに断ることもなく、肩を並べて歩き始めた。

「誰が死んだの？」

森野は答えたが、僕は知らなかった。けれど、僕だってこれだけ病院を歩き回っているのだから、どこかで顔を合わせてもいるのだろうし、一度や二度は挨拶をしたことだってあるのだろう。

「まだ四十手前だったのにな」

「そう」

「まだちっちゃい子供が二人いてさ」

「うん」

「泣いてもいないんだよな。何が起こったのか、わかんないんだろうな」

「運び出そうとしたらな、しがみつかれて、足、叩かれた。どん、どんって」

森野は右の太ももを自分の拳で叩いた。

「そう」

「そっか」

ふう、と森野は息を吐いて、落ちてくる雨粒を忌々しげに睨んだ。

「嫌な季節だ」

その呟きに応えるように雨脚が一時激しくなり、またすぐにもとの強さに戻った。

「性に合ってるって言ったよな」

「うん？」

「この前。その仕事」

「ああ、言ったよ」

「本当に？」

質問には答えず、森野は笑った。

「何だ？　葬儀屋になりたいなら、丁稚《でっち》として雇ってやるぞ」

森野の両親が交通事故で死んだのは、僕らが高校を卒業する年だった。

人に任せるのも馬鹿馬鹿しいからよ。

喪主と葬儀屋が同じという、どこか奇妙な葬儀が行われた。その後、どういう流れがあったのかは知らないが、森野はそのまま家業を継いだ。残っていた従業員がいたので、仕事に支障はなかった。それから四年が経ち、今は実質的にも森野が店を取り仕切っている。

「何があった？」

歩道のくぼみにできた水溜りをまたぎながら森野が聞いた。

「別に」

「嘘つけ。お前がそうやって首に手を当ててるときは、大概、何かで悩んでいるときだ」

僕は首に当てていた手を離した。森野がにやりとした。

「どうした？　また、好きな子ができて、ラブレターを書くほうがいいか、直接告白するほうがいいかで悩んでるのか？」

「いつの話だよ」と僕は苦笑した。

「中二のときだっけ？」と森野も笑った。「結局、私がラブレターを書いてやったんだよな」

「熱烈なやつを書いたから、絶対に開けるなって言われてね。読んだら恥ずかしくなって、お前は渡せなくなるからって」

「だって、読んだら渡せたか？」

「渡さないよ。渡すわけないだろ」

「ほら、見ろ」

「渡さなかったら、ふられずに済んだ」

「ハナから縁がなかったんだよ」

「そういう問題か？　僕だって女だったら、『毎晩、あなたのことを思いながら射精してます』なんて書いてくる男と付き合おうとは思わない」

「そうか？　私ならぐっとくると思うけどな。熱意と誠意に溢れてるじゃないか。わかりやすいし、嘘がない」

森野はそう言って笑った。仕方なく苦笑した僕の胸を森野が拳の裏で叩いた。

「で、何だよ？」

「ああ」と僕は言った。「将来のこと。就職とか、色々。そういう時期だから」

たぶん時期の問題ではなく、美子ちゃんと話したせいだろう。どんなに大学生になりたいと願ってもなれないかもしれない美子ちゃん。美子ちゃんの熱望するその場所に易々《やすやす》といる自分。関係ないといえば関係ないに決まっているが、それでも忸怩《じくじ》たるものは残る。

「馬鹿。遅いよ」と森野は笑った。「就職活動なんて、とっくに始まってるんだろ？」

「まあね」

僕がぐずぐずしている間に同級生たちは内定を取り始めていた。取れていない学生だって、その努力はとっくに始めていた。

「厳しいんだろ？　不景気だし」

「そうらしい」

「らしい？」

「実は何もやってない」

「まさか、お前、内定が一つも取れないなんてことになったら自分に自信が持てなくなりそうで、それが怖いから混迷の時代に生きる悩める現代青年のふりして現実から逃げてるなんて、ガキみたいな告白しねえだろうな」

「しないよ」と僕は言った。「よくそんなこと、すらすらと思いつくよな」

「店を継ぐなんてことは？」

「ないよ。うちがどんな状態か、知ってるだろ？」

「知りはしないけどな。まあ、だいたい想像はつく」

「たぶん、その想像の三割増で悪い」

古びた商店街の文房具屋など、売り上げはたかが知れている。これまで一家が食べてこられたこと自体が奇跡に近いのだ。

「それで？」

「わからないんだ。どこかに就職して、それなりに仕事を覚えて、運がよければ出世したりしてさ。こんな時代に終身雇用ってこともないだろうから、スキルとかいうのを身につけて、たぶん、一回か二回かは転職もするんだろう」

「そのうち結婚して、子供もできて、運がよければ年金なんかせしめたりして」

「そう。たとえばそういう人生って、どんなもんなんだろうってさ。何かピンとこなくて」

「自分の人生にピンときてるやつなんざ、そうはいないよ」

「森野は？」

「きてねえさ。きてりゃ、葬儀屋なんてやってないで、教祖になってるよ」

「そういうもんかな」

「そういうもんさ」

お、でんでんむし、と言って、森野は僕の傘を飛び出し、歩道の脇の植え込みにかがみ込んだ。しゃがんでカタツムリの頭をつつく森野に僕は傘をかざした。

「でんでんむしなんて久しぶりに見たよ。まだ、いるんだな」

一通りいじくってから、カタツムリを歩道から見えない葉の陰に隠し、森野は立ち上がった。

「で、何だっけ?」

「僕の将来の話」

「そうだった」

僕らはまた肩を並べて歩き出した。

「結局、どこに就職したって、大した違いがあるようにも思えないんだ。それくらいなら、このまま病院で清掃員をやっているほうが張りがあるような気がする。少なくとも、何かの役に立ってる気がする」

「ま、それならそれもいいだろうよ」と森野は言った。「私が思うに、人生なんて、そうなるべくしてそうなるんだ。葬儀屋が性に合っているって言ったのはそういう意味さ」

「どういう意味だよ」

「いいよ。わからなくて」と森野は笑った。「経験済みだろ? 私のアドバイスは参考にするな」

僕らが歩く先の交差点で、歩行者用信号の青が点滅し始めた。僕らの後ろからビニール傘を差した背広姿の男性が駆けていった。彼が横断歩道を渡り切るころ、信号が赤になり、僕と森野は赤信号に立ち止まった。

「ほらな」と森野は言った。

「ほら、何？」と僕は聞き返した。

「あそこで走るやつと走らないやつがいる。向こうに渡るって目的は同じでもな」

しばらく考え、僕は聞いた。

「それが？」

「社会人の先輩として、含蓄《がんちく》のある言葉だと思わないか？」

「もうちょっとわかりやすくなると助かるんだけどな」

森野が答えを考えている間に、交差する道の歩行者用信号が点滅し始めた。その信号が赤に変わるころ、森野が白状した。

「実は意味なんてない」

「やっぱね」と僕は頷いた。

信号が青になり、僕らは横断歩道を渡った。

「ほらな」と歩道に足をかけて森野は得意げに言った。「こうしていずれは辿《たど》りつく」

「今、考えるなよ」と僕は言った。

2

昨日とは打って変わった青空が広がっていた。予報では今日と明日の二日だけ梅雨の晴れ間が覗くと言っていた。どうせ二日だけだと承知しているように、太陽はペース配分など考えてもいないような勢いで眩しい陽射しを地表に投げ続けていた。散々歩き回ったおかげでさすがに汗ばみ、僕はTシャツの上に着ていた長袖のシャツを脱いだ。どうやら駅前の交番を遠慮したのがいけなかったらしい。電柱の住所を頼りに歩いていた僕は、最初の十分で自力で探すことを諦め、次の十分は交番を探すことに専念した。探すと中々見つからないポストと煙草の自動販売機を三つずつ見つけたあと、ようやく見つけた交番は、大きな池のある公園の脇にあった。中を覗き、若い警官が暇そうににきびを潰していることを確認して、僕はその交番に入った。

「ちょっとすみません」

「ボートなら、ここじゃ貸してないよ」

警官はこちらを見もせずに言った。

「公園の中に入って、池を右回りに歩いていくと、ボート小屋があるから。そこで借りて」

「ええと、ここ、交番ですよね？」

警官がようやく顔をこちらへ向けた。

「そう。交番」

警官はそう言って、机に置いていた帽子をかぶった。

「そして私はおまわりさん。交番に用？」

「ええ」

「そうか、そうか。まあ、座って」

警官は嬉しそうに笑って、机の前の椅子を僕に勧めた。

「いやあ、二週間ぶりのお客さんだ。緊張するな。何？」

「ちょっと道を聞きたいんですけど」

「道。道案内ね。それこそ正しい警察官の仕事だよな。いいよ。教えちゃう。全力で教えちゃう。どこ？」

「あの、これなんですけど」

僕は美子ちゃんに書いてもらった大学生の住所のメモを警察官に渡した。

「ええと、四丁目の」とメモに目を落とした警官は、いったん後ろの壁に貼ってある付近の詳細な地図を振り返りかけて、それからまたメモに目を落とした。「四丁目？」

「ええ。四丁目。どの辺りですかね？　三丁目まではあったんですけど、四丁目が見つからなくて」

警官は立ち上がり、後ろの地図の前で腕を組んだ。

「ないよな。うん。ないよ、こんな住所」

「ない？」と僕は思わず聞き返した。「ないって、どういうことです？」

「だからな」

警官は、指で地図を示しながら言った。

「君がいるのが、ここ。この公園の脇のところ。で、ここらが一丁目で、こっちが二丁目で、こっちが三丁目。な？　それで終わり。四丁目なんて、存在しない。これ、四の十二の六の一〇三だろ？　そんな住所、ないんだよ」

転居通知を郵便局に届け出ずに引っ越したのだろう、くらいに考えていた僕は、その答えに面食らった。最初から存在しないというのなら、美子ちゃんは最初から嘘の住所を教えられていたということになる。

「ええと、以前はあったけど、今はないとか、そういうことではなく？」

「以前って、まあ、五十年、百年も前の話ならわからないけどな。少なくとも俺の知る限りでは、この町に四丁目があったことはないな。何かの勘違いじゃないか？」

警官がメモを差し出し、僕はもう一度、美子ちゃんからもらったメモに目を落とした。四の十二の六の一〇三。美子ちゃんが写し間違えたのでない限り、それが、大学生、牧野武《まきのたけし》が美子ちゃんに教えた住所のはずだった。

「どうした？　人探しか？」

「ええ、まあ」と僕は言った。「あの、ちょっと教えて欲しいんですけど」

「何？」

「職業的経験から言って、人が他人に嘘の住所を教えるときっていうのは、どういう場合が考えられますかね」

　警官は右手で腰にさした警棒をさすり、少しの間、上を見ながら考えた。

「まあ、あれだ。嘘の住所を教えるってことは、本当の住所を教えたくなかったってことだよな」

「まあ、ええ。そうなりますかね」

「家ってのは、結局のところ、弱みって部分もある」

「弱み？」

「お前の住所、知ってるぞ、ってのは、それなりに有効な脅し文句だったりするわけだろ？家族がいたりすれば家族が狙われるかもしれないし、そうでなくたって、寝ている間に火をつけられたりしたらかなわない」

　しばらく考え、僕は頷いた。

「まあ、そうですね」

「だから、教えなくていいのなら、教えたくないという気持ちもわかる。それで済まないのなら、嘘の住所を教えるときだってあるだろう。と、まあ、職業的経験から言えば、そういうことだな」

「なるほど」と言ってはみたものの、まさか牧野くんが美子ちゃんに家族を狙われたり、放火されたりすることを恐れているとも思えなかった。

「あとは、個人的経験からのになるけど」

かぶっていた帽子を取り、縁に指を引っ掛けてクルクル回しながら警官は言った。

「聞かせてください」

「教えた相手に対する一つの意思表示にもなる」

「というと?」

「たとえば。たとえば、だぞ」

「はい」

「たとえば、オペラのコンサートで隣り合わせに座った男女がいて、たまたま二人とも一人でそのコンサートを聴きにきていて、たまたまそのコンサートの出来が素晴らしく良くて、湧き上がる感動を誰かと分かち合いたくなった二人は、オペラが終わったあと、どちらから誘うわけでもなく食事をして、酒を飲んで、男はすべての代金を支払って、女は男に電話番号を教えた。ところが、翌日、男がその番号に電話をしてみると、全然違うところにかかった。それで男は、もう会いたくない、あんたなんか一晩の財布代わりだったのよ、という女の意思を明確に察することとなる」

「そんな女ばっかりじゃないですよ」と僕は言った。「気を落とさないでください」

「ありがとう」と警官は言った。

僕が交番を出ようとすると、警官が呼び止めた。

「人探しはどうするんだ？　まだ探すのか？」

「他に手がかりがないので困りはするんですけど、まあ、何とかしてみます」

「一つアドバイスを？」

「お願いします」

「嘘ってのはな、単純なものであっても、咄嗟にはつきにくいものだったりするんだ」

「というと？」

「俺の勘じゃ、その住所、まったくの出鱈目《でたらめ》ってことはないな。本当の住所の丁目と番地のいくつかが違うだけとかな」

「すると、近くに住んでいる可能性が高い？」

「でなきゃ、前にこの辺りに住んでいたことがあるとか、勤務先がこの辺りだとか。どちらにしろ、ここらに土地鑑のある人間であることは間違いないだろうな」

「参考になりました」と僕は言った。

交番を出かけて、どうしても気になったので、聞いてみた。

「ちなみに今のは、職業的経験からですか？　それとも個人的経験？」

「その女な」と警官はにやっと笑って言った。「一番最後の数字だけを変えてた。一日中電話をかけまくって突き止めた」

「それで、どうしたんです？」

何かを思い出すように宙を見て、また警棒をさすりながら警官は言った。

「聞きたいか？」

　僕は首を振った。

「いえ、いいです」

　やっぱ世界は平和じゃなきゃな、と独りごちて満足そうに頷く警官をあとに、僕は交番を出た。太陽はまだ眩しい陽射しを投げ続けていた。おそろしく平和そうに見える世界に立ち止まって、僕はしばらく考えた。この近くに住んでいる可能性。この近くに住んでいたことのある可能性。この近くでたとえばアルバイトをしていた可能性。その可能性を全部足し合わせれば、絞り込めるといったところで、個人の捜索の及ぶところではない。この付近で道行く人に写真を示し、その顔に見覚えがないか、片っ端から聞いてみるという手だってあるにはあるが、ほとんど期待はできそうにない。

　美子ちゃんから預かった写真に目を落として考えていた僕は、もう少しだけマシな手を思いついた。

　一番手近にあった電話ボックスに入って番号案内を呼び出すと、僕は写真から辛《かろ》うじて読み取れた旅館の名前を告げて、その電話番号を聞いた。その番号を忘れないよう暗誦しながらボタンを押した。

「古い話になって大変恐縮なんですが」

　愛想よく出た女性に僕は言った。

「私、去年の秋にそちらへ泊まったものなんです。去年の」

僕は写真の隅にある日付に目をやった。

「十一月の十日なんですけど」

「はあ」

受話器からは打って変わった不審そうな声が返ってきた。まあ、無理もない。

「たぶん、泊まったのはそちらの旅館だと思うんですけど、あの、申し訳ありませんが、宿帳か何かで確認して頂けないでしょうか」

用件を訝《いぶか》らないはずはないだろうが、それでも以前の客ということで機嫌を損ねることを恐れたのか、どこか渋々といった感じながらも相手が聞いた。

「ええと、お名前は？」

「牧野と申します」と僕は言った。

「ちょっとお待ちください」

写真の門構えは古かったが、今時、顧客のデータベースくらいはあるのだろう。すぐに女性の声が戻った。

「牧野様ですね。牧野武様。ええ、確かにお泊まり頂いてますが」

「あの、それでですね。その旅行中に本を一冊忘れてきたんです。そのときは買い直せばいいかと思って、そのままにしたんですけど、どうも絶版になってしまっているようで手に入らないんですね。それで今ごろになって探しているわけですが、そちらへは忘れていってないでしょうか？」

「本、ですか？」

「ええ。ガターラットの『渦の中』」

「さあ、こちらではお預かりしていないように思いますが」

「申し訳ありませんが、もし出てくるようなことがあったら、送って頂けますかね。もちろん、着払いで構いませんので」

「はい。承知いたしました」

用件がわかって安心したのか、女性の声が緩んだ。が、僕の用件はこれからだ。一度電話を切りかけてから慌てて思い出したように僕は声を上げた。

「あ、それから、あの、そちらに書き置いた住所はどこになってます？」

女性の答えたものは、美子ちゃんのメモのものとは違っていた。

「あ、すみません。それ、引越し前の住所なんです」

僕はメモの住所を告げ、そちらに送ってくれるよう頼んでから、丁寧に礼を言って、電話を切った。万一、世界のどこかにドブネズミなる名前の作家が実在していて、万一、彼が『渦の中』なんていう小説を書いていて、万一、それが日本で翻訳出版されていて、万一、それがその旅館に置き忘れられていたところで、そこまでくればそれはもう神様の悪戯というもので、僕の責任ではなかろう。

僕は新たにメモした住所に目を落とした。牧野くんの住所は、電車を乗り継いで、ここから優に一時間はかかる町だった。

駅に降り立ったときには日が暮れかけていた。今度は駅前の交番でその所在地を確認し、僕は歩き始めた。都心からはだいぶ離れているせいか、町並みはどこかまだのどかさを残していた。新たにメモした住所は、駅から五分ほど歩いたワンルームと思しきアパートだった。最後の一〇三という部屋番号だけは本当のものだったらしい。人間には、最後に嘘をつくタイプと、最後に本当のことを言うタイプと、二通りあるのかもしれない。どちらのタイプが扱いやすいだろうかと考えてみたが、どちらのタイプも扱い難そうだとしか思えなかった。

一〇三のドアの前に立ち、中からテレビの音が聞こえてくることを確認して、僕はベルを押した。テレビの音が消えた。しばらく待ってみたのだが、その後の応対はなかった。

「NHKの集金じゃないから、ちょっと出てきてもらえないかな」

今度はドアをノックしながら僕は言った。やはり返事はなかった。別な呪文を唱えてみた。

「NHKに集金に来るように告げ口しようか？」

ドアが開いた。

牧野くんはベルボトムのジーンズに黒いTシャツを着ていた。伸びた髪の毛のせいだろうか。写真よりもずっと不健康そうに見えたし、写真よりもずっと暗い眼をしているように見えた。いつでも閉められるようにだろう。狭い靴脱ぎ場に覆い被さるようにしながら、牧野くんの右手はドアのノブをつかんだままだった。

「牧野くんだよね？」

なるべく友好的に響くように僕は言った。

「あんたは？」

友好的とは言いがたい口調で牧野くんは言った。

僕は美子ちゃんから預かった写真を取り出した。少し迷ってから牧野くんはドアのノブを離して、その写真を受け取った。

「君だよね？」と僕は言った。

「そうみたいだな」と牧野くんは言った。

「去年の秋なんだけど、その写真の子、覚えてないかな？　今井美子ちゃんっていうんだ。修学旅行で、君と同じ旅館に泊まった。友達と一緒に三千院に連れていってもらって、記念に旅館の前で写真を撮って、君から聞いた住所に写真を送ったんだけど、その住所が出鱈目《でたらめ》だったから戻ってきちゃった」

もう一度写真に目を落とし、牧野くんは頷いた。

「ああ」

「覚えてる？」

「名前までは覚えてないけど、顔はな。何となく」

「君に写真を届けるように頼まれた」

ふうん、という感じで牧野くんは僕を見た。ふうん、という以上に取り立てて感想は持っていないようだった。

「どうして彼女に嘘の住所を？」と僕は聞いた。

「どうしてそんなことをあんたに話さなきゃなんないんだ？」

「彼女、病気なんだ」

「医者へ行けよ」

「行ってる。入院してる。今年の夏を見られるかどうかもわからない」

「そいつはいいな。暑い思いをしないで済む。今年の夏は暑いらしい。この部屋、エアコン、ついてないんだよ。参るぜ、まったく」

牧野くんは部屋を振り返るようにして言った。

「なあ、冗談じゃないんだ。彼女、本当に死ぬかもしれないんだ」

「そういう文句は神様に言えよ。俺に言われても困る」

「神様にはもう散々言ったし、君には文句を言ってるわけじゃない。ただ聞いてるんだ。何で彼女に嘘の住所を教えた？」

「覚えてないよ。たぶん、鬱陶《うっとう》しかったからだろ」

「鬱陶しい？」

「写真を送られて、それをきっかけに文通しましょうとか言われても困るだろ？　何か、いかにもそういうこと言い出しそうな子じゃねえか。そのうち、私とあなたとは前世から結ばれる運命だったとか、そういうこと言い出しそうだろ？　そのときも、たぶん、そう思ったんじゃないか」

「だったら写真はいらないって断ればいい」

「俺は優しいんだよ」

僕はため息をついた。

「もう、いいか？」と牧野くんが言った。「写真はもらっといてやるから」

牧野くんがノブに手を伸ばした。話していて楽しい相手ではなさそうだし、できることならこのまま帰ってしまいたかったが、そういうわけにもいかなかった。

「さっき、駅前の電器屋の前を通った」と僕は言った。

ドアを閉めかけた牧野くんが不審そうに僕を見返した。

「去年のモデルらしいんだけど、エアコンが取り付け費用込みで四万九千八百円で売ってた」

「それが何だ？」

「欲しくないか？　今年の夏は暑いんだろ？」

「買ってくれるとでもいうのか？」

「買ってやるよ」

牧野くんの目が一瞬光り、すぐに前より暗い色になった。

「何が狙いだ？」

「何も狙っちゃいない。代わりに君の一日をもらう。一日もいらないな。二時間でいい」

「時給二万五千円のバイトかよ。何をすりゃいいんだ？」と牧野くんが言った。

「時給二万五千円のバイトですか。何をすればよろしいのでしょう」と僕は言って、牧野くんを見返した。少し迷ってから、牧野くんが繰り返した。

「時給二万五千円のバイトですか。何をすればよろしいのでしょう」

「悪くない。その調子で、今より少しだけ感じのいい人間になってくれれば、それでいい。上がっても？」

「あ、ああ」

牧野くんが体を引き、僕はそのアパートに上がり込んだ。風の通りが悪いのだろう。窓は開け放たれているのに、部屋には生温《なまぬる》い空気が澱《よど》んでいた。エアコンのない夏を嘆きたくなる気持ちもわかった。

「大学生だったよね？」

本棚も勉強机もないその部屋を見回して僕は言った。畳敷きの六畳ほどの部屋にはちゃぶ台代わりのこたつと敷かれっぱなしの布団と小さなテレビがあった。家具らしいものはそれくらいなのに、古雑誌やら空き缶やらスナック類の袋やらのせいで部屋はひどく雑然として見えた。

「ああ。三ヶ月前まではな」

写真には大して興味がないらしい。僕が渡した写真をテレビの脇に放り投げて、牧野くんは言った。

「三ヶ月前？」

「辞めたんだ。こんなご時世、人と同じことしてたってしゃあねえだろ？　周りを見て、自分の行動を決めるなんざ、かったるくてやってらんねえよ」

人がやっているからという理由でそれをやらないことだって、周りを見て行動していることになる気もしたが、僕は頷いておいた。それじゃ、どうしてそもそも大学なんかに入ったんだ、という疑問も口にはしなかった。僕は別に牧野くんの人生観に文句をつけるためにここにきたわけじゃない。

牧野くんがそうしたので、僕もこたつに向かって座った。こたつの上も雑然としていた。古い週刊誌や漫画雑誌と一緒に就職情報誌や様々な専門学校の入学案内のパンフレットがあった。パソコン、コンピューターグラフィック、通関士、社労士などなど。一応、それで片付けたつもりなのだろう。牧野くんはそれらを一つの山にして畳の上に積んだ。

「それで、今は何をしてるんだ？」

「別に。何をしようか考えてるんだよ」

「なるほどね」

僕は頷いて、近くに落ちていたパンフレットを手に取った。英会話学校のパンフレットだった。

「色々考えてるわけだ」

夢を見ろと若者に強要する社会の中で、次の一歩を踏み出せずにいるという立場は僕だって似たようなもので、だから僕としてはさほど冷ややかに言ったつもりもないのだが、僕の手からそのパンフレットを引《ひ》っ手繰《たく》った牧野くんの目じりは少し上がっていた。

「そういうお前は何なんだよ」

「ただの大学生」

「大学出て、就職して、へえこらと一生働くわけだな」

「まあね」と頷きながら、僕はセミナーの申し込みをまた忘れたことを思い出した。期限は今日までだったか。「できればそうありたいと思ってる」

「くだらねえな」と牧野くんは吐き捨てた。

「まったくだ」と僕も同意した。

隣の部屋から男女の話し声が聞こえていた。何を喋っているのかまではわからなかったが、二人ともよく笑った。そちらの壁をちらりと睨んでから牧野くんが言った。

「何かよお、感じ悪いな、あんた」

「お互い様だよ。気にするな」

「その言い方からして気にくわねえ」

「こっちだって、ぴくぴく動く君の小鼻とか、陰険そうなその目つきとか、麦茶の一杯も勧められないこととか、さっきから黙って我慢してるんだ。口のきき方くらい、そっちだって我慢しろ」

僕らの間に沈黙が落ちた。かなり険悪な沈黙だった。殴りかかってくるかとも思ったが、牧野くんはそうしなかった。代わりにため息をついて肩をすくめた。

「相性、悪そうだな、俺たち」

「まったくだ」と僕は頷いた。「でも僕の頼みごとは君にしかできないし、君にエアコンを買ってやろうなんて酔狂な人間も僕しかいない。違うか？」

「違いねえな。そんじゃ、ちゃっちゃと済ませようぜ。俺は何をするんだ？」

「その写真の子に会って欲しい。入院している病院に見舞いにきて欲しいんだ。そこで二時間だけ演技して欲しい」

「演技？　どんな役だ？」

言われて、僕は少し考えた。恋焦がれていた、では、あまりにリアリティーがなさ過ぎる。

「去年の秋以来、ずっとその子のことは頭の片隅に引っかかっていた。君はそのあとすぐに引っ越しちゃって、送られてくるはずだった写真のことはずっと気になってたけど、君のほうからは連絡をつけられなかった。彼女の連絡先、聞いてたか？」

牧野くんはしばらく考え、首を振った。

「聞いてなかったと思うな」

「確かか？」

「聞かれたから答えたけど、俺が自分から聞くはずないし、向こうだって教えてこなかったと思うけどな」

「それじゃ、あとは、そのときの思い出話を懐かしそうにいくつかしてくれればいい。何かないか？　その子とその子の友達二人と三千院に行ったんだろ？　そこで何か覚えてることないか？」

「何かって言われてもなあ。もう半年以上も前の話だろ？　名前だって覚えてなかったのに」

「何でもいいんだよ」

「何でもって言ってもなあ」と言って、牧野くんはしばらく考えた。

隣の部屋の話し声が急にやんだ。牧野くんはまたちらりと壁のほうを見遣り、それから何かを思いついたように僕に向き直った。嫌な感じの笑いが顔に広がっていた。

「そういえば」

「うん」

「のりがついてたな」

「のり？」

「のり。歯の、ここんとこ」

牧野くんは自分の前歯の隙間を指で示した。

「変なことを覚えてるんだな」

「キスしようとしたときに目に入っちゃって。こう、中途半端に開いた唇から前歯が見えて、そこにのりがついてたんだ。あれは萎《な》えるな。まあ、キスしようとした瞬間にくしゃみして、その拍子に食べてたラーメンを鼻から出した女もいたからな。それよりはマシか」

「キス？」

「そう。笑えるだろ？　飲んだあとに連れ込んだ女だったんだけどよ、この部屋でインスタントラーメンを食ってて。そんで、ほら、成り行きってあるだろ？　それでキスしようとしたら、そいつ、くしゃみしやがってさ。で、鼻から麺が、こう、ビローンとさ」

牧野くんはケラケラ笑って、こたつを叩いた。

「な？　萎えるだろ？」

「いや、ラーメンのほうじゃなくて、その写真の子の話。キスしたのか？」

「したよ」

牧野くんにあっさりと頷かれ、僕はかなり混乱した。

「何で君と美子ちゃんがキスするんだ？」

「キスなんて成り行きでするもんだろ？　あんただって経験あるだろ？　何か、そういう雰囲気になっちゃって、どうしようもないってこと、あるだろ？　キスの一つくらいしなきゃ、その場が収まらないっていうかさ」

「だって、相手は中学生だろ？」

「中学生だって、唇がついてりゃキスくらいできるさ。いくらなんでも、やってはいねえよ。まあ、その子の友達を置いて、そのままどっかに連れ込んで、やっちゃってもよかったんだけどよ。向こうも誘えばついてきたと思うぜ。でもなあ、俺、どっちかっていうと年上が好きだから。飛びっきりの美少女ってならともかく、あの程度じゃなあ、守備範囲は広げられねえな」と牧野くんは言って、またケラケラと笑った。「歯にのりもついてたし」

確かに中学生だって唇がついていればキスくらいできる。今時の中学生がただの淡い思い出に焦がれていると考える僕の感覚のほうがずれているのかもしれない。

「嘘の住所を教えたのは、だからか？」

「まあ、なあ。そうだったのかな。よく覚えてねえよ。昔の話だしよ。ただ、何となくまとわりつかれそうで嫌だったんだろうな。何かストーカーになりそうなタイプの子だろ？　現にこうやってあんたに俺を探させたわけだし」

「だったら最初からキスなんてしなけりゃいい」

「何遍も言わすなよ」と牧野くんは言って、少し斜に構えて僕を見た。「俺は優しいんだよ」

「優しいんだったら、キスした相手の名前くらい覚えてろよな」

「んなもん、いちいち覚えてられねえよ。やった女の名前だって全部は覚えてないぜ。名前なんて最初から聞いてもいない女だっていたしよ」

牧野くんが少し誇らしげな顔で言って、僕はひどい徒労感に襲われた。まだ中学生の女の子に向かって男を見る目に文句をつけるのも酷だろうけれど、それにしたってもうちょっと違う相手はいなかったのだろうか。

「他に何かないのか？　そのときの天気が晴れてたとか、曇ってたとか、花が咲いてたとか、夕焼けが奇麗だったとか、そんなのでいいから」

「どうだったかな。ま、その子と話してりゃ、何か思い出すだろ。適当に話を合わせて、君のことはずっと気にかけていた。連絡を取れなくて悪かった。でも、一生懸命探してたんだ。

こうやって、やっと会えた。どうか頑張って、病気と闘ってくれ。そんな感じでいいんだろ？」

ひどく嫌らしい言い方だったが、僕はまさに牧野くんの言う通りのことをしようとしているのだ。いっそ、探し当てられなかったほうが良かったと後悔したが、探し当ててしまったものは仕方がない。

「しくじるなよ」と僕は言った。

「しくじらねえよ。しくじらねえけど、俺に言わせりゃくだらねえな。こんなの」

「まったくだ」と僕は頷いた。「まったくだよな」

3

どこかで見たことのある顔だった。しばらく眺めてから、短い髪のその活発そうな横顔が写真の中で見た顔だったことを思い出した。制服を着ているのは、学校帰りに見舞いにきてくれたということだろうか。邪魔をするのも悪いと思い、僕は美子ちゃんのベッドは後回しにして、その向かいのベッドにいるおばさんに声をかけた。

「ごみ、あります？」

「特大の生ごみが一つ」とそのおばさんは吐き捨てた。

確か、緑内障の手術を待っている患者だった。口の悪さでは有名なおばさんだ。

「どこに？」

「ここに」と言って、おばさんは自分を指した。「まったく、いつまで経っても検査、検査って、本当に手術する気があるのかね、ここの医者は。こんなじめっとした季節にほっとかれたら、いくら新鮮な私だって腐っちまうよ」

「確かに」と僕はおばさんの顔をまじまじと見て、頷いた。「そろそろまずいですね」

おばさんが平手で僕のお尻を叩いたところで、背後に泣き声を聞いた。そっと振り返ると美子ちゃんの友達が肩を震わせていた。

「ヨッシーに死なれちゃったら、私、一人ぼっちだよ」

美子ちゃんは途方に暮れたような顔でその子を見ていた。

「いいねえ、泣いてくれる人がいて」とおばさんが体を起こして、僕に囁《ささや》いた。「私なんか、死んだところで誰も泣いてくれやしない」

「緑内障じゃ死にませんよ」と僕は言った。

「誰も泣いてくれないんじゃ、死に甲斐もないからね」とおばさんが言い返した。「誰かが泣いてくれるんだったら、もっと立派な病気にかかってやるよ」

「じゃあ、僕が泣いてあげます」と僕は言った。「約束します」

おばさんはまた僕のお尻を叩いた。

僕がちょうど他のベッドを回り終えたころ、美子ちゃんの友達が病室から出ていった。

「今の」と僕は美子ちゃんのもとに行って声をかけた。

「写真に写ってた子だよね？」

「ああ、ええ」と美子ちゃんは頷いた。「いいって言うのに、よくきてくれるんです」

彼女は窓辺を見遣った。一輪挿しには新しい赤い花が生けられていた。どうやら花を持ってくるのはその友達らしい。

「親友なんだね」

「ええ、そう。そうなんでしょうね」

その冷めた言い方にちょっと引っかかった。それを察したのか、美子ちゃんは僕の顔を見て笑った。

「よくわかんないんです。親友って、色んなことを相談したり、されたり、一緒に泣いたり、怒ったり、笑ったりしてくれる人ですよね」

「まあ、そんなようなものかな」

「そういうの、よくわかんないんですよ、私」

無理もないだろう。無限に近い広がりを持った未来を抱える中学生と、明日の命の保障さえない美子ちゃんとでは、乗っている土台があまりにかけ離れ過ぎている。

「ユカだって、いつか死ぬのに。ひょっとしたら、今日、この帰り道に死んじゃうかもしれないのに」

美子ちゃんは呟いて、ふっと我に返ったように照れ笑いを浮かべた。

「嫌らしいですよね。こういう考え方。自分の不幸を他人にも押し付けてるみたい」

「それが正論なんだろうけど」と僕は言った。「そういうことをユカちゃんに理解しろっていうのは難しいと思う」

だからといって、憐れみの入るその関係に満足しろと美子ちゃんに言うのも残酷なことに変わりはない。どちらが悪いわけでもないのに、どうしようもないことだって、世の中にはある。

「牧野くんを見つけたよ」と僕は話を変えた。「写真を渡した。君の病気のことも教えたから、たぶん、見舞いにきてくれると思う」

牧野くんは明後日にきてくれることになっていた。僕がバイトに入っていて、牧野くんが時間の取れる、一番近い日が明後日だったのだ。さすがに牧野くんを一人で美子ちゃんのもとへこさせるのはためらわれた。どんなぼろを出すかわかったものじゃない。その間に髪の毛を切ってくることを僕は牧野くんに厳命していた。

「何か、言ってましたか？」

ぱっと輝くだろうと思った美子ちゃんの顔は、僕の期待した色を宿してはいなかった。美子ちゃんは探るように僕の顔を見ていた。

「ああ、うん」と僕は言った。「牧野くんもずっと気にはなっていたらしいんだ。連絡が取れてよかったって」

「私のこと、覚えてました？」

「それはもちろん」と僕は言った。

「会いにきてくれるって？」

「うん」と頷いてから、過大な期待を持たせるのもどうかと思い、僕は付け足した。「いや、それはたとえば、妹を心配する兄貴の心情なのかもしれないけど」

言ってしまってから後悔した。

「妹を心配する兄貴、ですか？」

案の定、美子ちゃんは不思議そうに聞き返した。牧野くんのキスと美子ちゃんのキスとでは、形は同じでも、重さは地球とミカンくらいに違うのだ。第一、普通の兄貴は妹とキスしたりしない。

「あ、うん。だから、たとえばの話」

美子ちゃんは不思議そうな顔をしたまま、しばらく僕の顔を眺めた。

「とにかく、会いにきてはくれるんですね？」

「うん。それは絶対」

「それならいいんです。ありがとうございました」

美子ちゃんは微笑んだ。何とか美子ちゃんの気持ちを傷つけずに、なおかつ過大な期待を持たせずに済む言葉はないかと考えてみたが、思いつかなかった。

「こら、青年。腹減っちゃった。アンパン買ってきて」

向かいのベッドのおばさんに声をかけられ、僕は美子ちゃんのベッドを離れた。

「アンパンって、だって、じきに夕飯でしょう？」

「あんなまずい飯、どうせ全部食えるわけないだろう？　ほら、アンパン」

そう言っておばさんは百円玉を僕に突き出した。

「それとも何かい、あんた、目の悪い私に階段を下りて、売店まで歩いていけってかい？」

「行きますよ」

「急ぎだよ」

「付き合います」

声に振り返ると美子ちゃんがベッドから降りて、薄手のカーディガンを羽織ったところだった。

「一人で行かせればいいんだよ。患者のわがままも、あんたらの給金のうちだろ？」

「ちょっと歩きたいんです」

美子ちゃんはおばさんにそう笑いかけると、先に病室を出た。

「やだねえ」とおばさんはぼさぼさの髪を掻きながら言った。「年を取ると野暮になっていけないや」

「まったくです」

僕は頷いて、おばさんにお尻を叩かれる前にベッドを離れた。

病室を出たところで美子ちゃんは右手で左手の腕輪をいじりながら、病室の中を眺めていた。その視線の先には、誰もいなくなったベッドの向こうにある窓辺の赤い花があった。残酷なくらいな赤だと思った。

「行こう」

美子ちゃんを促し、僕はカートを押して歩き出した。

僕と並んで廊下を歩きながら、美子ちゃんはよく喋った。牧野くんがきてくれることを知って、緊張しているのかもしれない。

学年中の女の子から「アイスの棒」と呼ばれ同情されている、クラスの男の子のレベルの低さのこと。

「外ればっかで当たりがない」

犬と戦っても六戦無敗の、家のデブ猫のこと。

「近所を回って、犬の餌《えさ》を全部食べちゃうんです。最近、うちの近所では犬の餌は家の中でやるようになりました」

せっかく苦労してチケットを取ったのに、どうやら行けそうにない人気ミュージシャンのコンサートのこと。

「倍の値段でダフ屋に売っちゃおうかな」

僕らは一階の売店でアンパンを買い、またエレベーターに乗って二階に戻り、病室までの廊下を歩いていた。その間ずっと、美子ちゃんは喋り続けていた。

「ちょっと」

不意に廊下の右手の病室から声をかけられて、僕らは足を止めた。六人部屋の一番廊下側のベッドにいる六十歳くらいの小柄な男性の患者が、僕に向けて手招きしていた。

「ああ、水島《みずしま》さん。こんにちは」

顔見知りということは長い入院患者だろうか。美子ちゃんが朗らかに挨拶した。

「ああ、こんにちは」

水島さんと呼ばれた男性はおざなりに美子ちゃんに挨拶を返すと、僕に向かってまた手招きした。僕は廊下にカートを残して、病室に入った。美子ちゃんも後ろからついてきた。

「これ」

水島さんはベッドの下を探り、布に包まれた何か巨大な円筒形のものを取り出した。

「そのカートに入れて、屋上まで運んでいってもらえないかな。看護婦に見つからないように」

「何です？」

かなり重さのあるそれを両手で受け取って、僕は聞いた。

「望遠鏡」と水島さんは声をひそめて答えた。

「望遠鏡？」

僕は聞き返し、布をめくってみた。確かに天体望遠鏡のようだった。

「星を見たいんだ。久しぶりに晴れたでしょ？　だから」

「屋上に運ぶのはいいんですけど、でも、どうして隠さなきゃいけないんです？」

僕が聞くと、水島さんは顔をくしゃくしゃにしかめた。

「覗いてるんじゃないかって、看護婦に疑われちゃって」

「はい？」

「ここの屋上からね、看護婦たちの寮の窓が丸見えなんだよ。こっちから見えるってことは、向こうからも見えるんだろう。俺が星を見てるのを、誰かが見たらしくて。それで一部の看護婦が覗きだって騒いじゃってさ。望遠鏡、没収されそうになっちゃった。嫌になっちゃうよ」

確かに、病院の建物のすぐ隣に看護婦さんたちの寮があった。屋上と寮の窓との間にどれくらいの距離があるのか、正確にはわからないけれど、いくら何だって、その人が望遠鏡を空に向けているか、自分に向けているかくらいは区別がつくだろう。

「でも、覗いてたんでしょ？」と僕は言った。

「覗いてないよ。誰が野太い看護婦の風呂上りの茹《うだ》った体なんか」

そこまでを一息に言ってから、水島さんは気まずそうに口を噤《つぐ》んだ。訪れた間の悪い沈黙の中で、美子ちゃんがぽつりと呟いた。

「最低」

「いや、たまたまだよ。たまたまね、ちょっとこう角度を下に向けたときに、勝手に視界に入ってきちゃって。覗いたっていうよりは、覗かされたって感じでさ」

水島さんはおろおろと言い訳しながら、助けを求めるように僕を見た。その視線を受けて、僕は美子ちゃんを見た。美子ちゃんは断固として首を振った。

「他の人に頼まれたほうがよさそうですね」と僕は水島さんに言った。

「そんないじめんなよ。明日からまた天気が崩れるらしいじゃないか。今日が最後のチャンスかもしれないんだから」

「退院したあとで見ればいいでしょう？」

「退院できるんならね」と水島さんは言って、弱々しくため息をついた。「それならいいけどね」

僕はまた美子ちゃんを見た。力なく肩を落とした水島さんを慎重に眺めたあと、美子ちゃんは無慈悲に首を振った。

「駄目ですよ。その手は食いません」と僕は水島さんに言った。

水島さんは僕らを見比べて、軽く笑った。

「来週、手術なんだよ」

「緑内障ですか？」と僕は聞いた。

「盲腸？」と美子ちゃんが聞いた。

「すい臓」と水島さんは言った。「すい臓癌でさ。あらかた取っちゃうみたい」

僕は美子ちゃんを見た。またしばらく水島さんを眺めたあと、美子ちゃんは考え考え頷いた。

「わかりました」と僕は言った。

「あ、やってくれる？」と水島さんは途端に相好《そうごう》を崩した。

「私にも見せてください」と美子ちゃんは言った。

「僕も見たいですね」と僕は言った。

「何だよ。結局、疑われてんのか」

軽くぼやいて水島さんは笑った。

「まあいいや。行こう」

カートに望遠鏡を隠して、僕らはエレベーターまで取って返した。最上階まで上がってそこにカートを残し、僕が布に包まれたままの望遠鏡を持って屋上への階段を上がった。鉄の扉を押し開けると、外は薄闇に包まれていた。そう思って見上げてみれば、暮れた空に僕も見知っているいくつかの星座があった。

「あ、北極星、見てみたいです」

その方向を指で差して、美子ちゃんが言った。天体望遠鏡を組み立てていた水島さんが空を見上げて、首を振った。

「ああ、駄目駄目。あんなの難し過ぎる」

「難しい？」と美子ちゃんは言った。

「天体望遠鏡っていうのは、対象物を何百倍にも拡大するわけ。逆にいうなら、ただでさえ狭い望遠鏡の視界が何百分の一にも狭まるわけね。何百分の一の視界で、あんな小さな星にピントを合わせるなんて、俺には難し過ぎる。それでなくたって町明かりがこれだけあると、観にくいんだ。やってみてもいいけど、時間、かかると思うよ」

「そんなものですか」と僕は言った。

「看護婦さんには合ったのに？」と美子ちゃんが言った。「看護婦は、だから、たまたまだって」

水島さんは助けを求めるように僕を見た。

「たまたまだって」と僕は美子ちゃんに中継した。

「都合のいい、たまたま」と美子ちゃんは呟いた。

天体望遠鏡を覗き込んで、しばらくピントをいじっていた水島さんが、できた、と言って、僕らのために場所をあけた。美子ちゃんと先を譲り合い、結局、美子ちゃんが先に望遠鏡に目を当てた。うわあ、という歓声を上げて、いったん望遠鏡から目を離し、美子ちゃんはそれが向いている方向を確認した。

「月ですか？」と美子ちゃんが言った。

「そう。月」

水島さんは子供の写真を見せる父親のような照れた顔で言った。

「そんなに大したもんじゃないだろう？」

「そんなことないです」と再び望遠鏡に目を当てて美子ちゃんは言った。「写真で見たことはあったけど、実際にこんなに大きいのを見るのなんて、私、初めてだから」

「そうかい」と水島さんはうれしそうに微笑んだ。「でも、結局は宇宙に浮かぶただの大きな石ころさ。ただ、それでも少し救われた気分になる。地球に一番近い月までだって、距離はざっと三十八万キロ。北極星なんて四百光年だ。光に乗っていったって四百年かかるんだ。そういうことを考えているとね、色んなことが、全部ちっぽけに思えてくる」

美子ちゃんが水島さんを振り返った。その顔にはいくらかの戸惑いがあるように見えた。たぶん、美子ちゃんの見た月と水島さんに見える月とではその姿が違っていたのだろう。けれど、月を見上げる水島さんに美子ちゃんは優しく微笑んだ。

「そうですね」

美子ちゃんに譲られて、僕も望遠鏡に目を当てた。視界いっぱいに広がる白い月があった。いくつものクレーターと万里の長城のようにうねる隆起が見えた。すべてが眩しいほどの輝きに包まれていた。それが太陽から借りた輝きであったところで、美しいものは美しい。

僕と美子ちゃんと水島さんは代わる代わるに望遠鏡を覗いた。それに飽きると、僕らは屋上に腰を下ろして、空を眺めた。

「なあ」

空を見上げたまま水島さんは立ち上がり、まるで月に向かうように二、三歩歩いた。それから、それがかなわなかったことに傷ついたようにうなだれた。

「俺、手術受けなきゃ駄目かなあ」

「駄目ですよ。弱気になっちゃ」

その小さな背中に向けて美子ちゃんが言った。

「弱気とかそういうんじゃなくてさ」と水島さんの背中が言った。「何か、もういいやって感じなんだよ。俺、手術二回目なんだよ。痛いのとか、苦しいのとかさ、もう嫌なんだよ」

「放っておいたって、良くならないですよ。頑張らなきゃ」

「良くなるんならいいよ。でも、きっと良くなんてならないよ」

「そんな風に決めつけちゃ駄目です」

断固として言った美子ちゃんを振り返り、水島さんは笑った。

「すい臓癌てさ、一番難しい癌らしいんだよ。本で調べたんだけど、生存率が滅茶苦茶低いんだ。自覚症状がないから、見つかったときにはもう手遅れって場合が多いらしい。きっと俺も、もう手遅れなんだ。だったら、もういいよ。何か、俺、疲れちゃったよ」

水島さんは今にも泣き出しそうだった。それ以上の泣き言を、僕は水島さんに言って欲しくなかった。それ以上の泣き言を、僕は美子ちゃんに聞かせたくなかった。僕は立ち上がった。

「あ、あの部屋、チャンスです」

僕は水島さんの背中を叩いて、今しがた明かりのついた向かいの建物の窓を差した。

「今、戻ったみたいです。カーテン、まだ引いてないし」

「おお、兄さん、いい目してるな」

自分の愚痴っている相手が、孫とも言えるくらいの年の女の子だったことを思い出してくれたらしい。泣き出しそうな顔に何とか笑いを浮かべた水島さんは、望遠鏡に目を当ててそちらへ向けた。

「もう」

膨れっ面を仕立てて、美子ちゃんも笑ってくれた。

「ああ、こんなところに」

突然、背後から聞こえてきた声に僕らは振り返った。医師だろう。白衣を着た小太りの男性が屋上の入り口からやってきた。

「水島さん。駄目じゃないですか。検温の時間ですよ。水島さんがどこにもいないって、大騒ぎになってます」

医師はそう言ってから、僕らの脇にある天体望遠鏡を見遣った。

「また覗きですか」

「神崎《かんざき》先生も覗いてみなよ」

憮然とした顔をする医師の耳に、水島さんはそそのかすように囁いた。

「僕はいいですよ」

そうは言ったものの気になるようで、神崎さんはちらちらと望遠鏡のほうを見ていた。

「まあ、そう言わずに。なあ」と水島さんが悪戯っぽい笑みを僕に向けながら言った。「見つかったからには、共犯にしなきゃ。告げ口されちゃたまらないもんな」

「大丈夫ですよ」と僕も言った。「向こうは全然気づいてません」

「そう？」と神崎さんが僕と水島さんを見比べて言った。

「ええ」と僕は頷いた。

「ばっちし」と水島さんも頷いた。

「馬鹿みたい」と美子ちゃんが呟いた。

「まあ、そこまで言うならちょっとだけ」

途端に頬を緩めた神崎さんはそう言って、天体望遠鏡に目を当てた。

「それじゃ、俺は戻るから、それ、よろしくな」

僕の肩を叩いて、水島さんが言った。

「畳んで、布にくるんで、病室まで持ってきてくれ」

「わかりました」

水島さんは屋上のドアへ歩いていった。

「水島さん、そんなに悪いんですか？　手術しても、駄目なんですか？」

その背を見送りながら、美子ちゃんが神崎さんに聞いた。

「僕は内科だから詳しいことはわからないけどね」

神崎さんは右目で望遠鏡を覗き込み、一度、首をひねって、今度は左目で覗いた。

「だいぶ、厳しい手術になるだろうね」

「そうですか」と美子ちゃんは頷いた。

「ねえ、君。これ、ピント」と神崎さんは望遠鏡を覗いたまま、僕に手招きした。「何も見えないよ」

「ああ、アンパン。忘れてた」と思い出して僕は言った。「それ、よろしくお願いします。

水島さんの病室、わかりますよね」

「病室はわかるけど、なあ、ピント。ああ。これかな？」

「じゃあ、お願いします」

僕と美子ちゃんは屋上のドアに向かって歩き出した。ドアから中へと入る間際、すうっと息を吸い込むと、美子ちゃんが大声で叫んだ。

「覗き魔がいますよお」

向かいの建物でがらがらといくつもの窓が開き、それぞれの窓から看護婦さんたちが顔を出した。咄嗟に動けず、神崎さんはぽかんとそちらを眺めた。

「む、むごい」と僕は言った。

「行きましょう」

美子ちゃんが階段に足をかけ、僕もあとに続いた。僕らが階段を下り始めた直後、看護婦さんたちの悲鳴と怒声が響いた。

4

病院の一階にあるカフェテリアは外来の患者や見舞い客たちでかなり混んでいた。僕は一番隅の席に座り、少し遅い昼食を取りながら通信会社の会社案内に目を落としていた。牧野くんとの待ち合わせにはまだ一時間以上あった。内容まで聞き取れはしない周囲の話し声は、単調な音の波となって耳に押し寄せてきて、僕は不意に眠気を覚えた。僕が一つ大きな欠伸《あくび》をしたところで、ほう、という声が上がった。顔を上げると特別室の患者が立っていた。手にはコーヒーの入った紙コップを持っている。

「一流企業だ」

僕の許可を求めてから、彼は僕の向かいに腰を下ろした。

「情報通信の分野はまだ伸びるだろうし、このご時世にも株価を落としていない。いい会社だ。就職活動かな？」

「ええ、まあ。希望だけは高く持とうかと」と僕は言った。

「そう」

有馬義人《ありまよしひと》。義の人、と彼は名乗った。

「神田です」と僕も名乗りを返して、聞いた。「ずいぶん長く入院されているようですが？」

「ああ。肝臓癌でね」

「手術待ちですか？」

「いや。肝機能がよくなくて、手術はできないらしい。動脈を塞いで、癌への酸素供給を止める、だったかな。去年、そんな治療を受けたんだけど、結局、再発したようだ。もう医者も匙《さじ》を投げてててね。本当は帰れと言いたいんだろうが、こっちも保険のこともあるしね」

「保険？」

「入院してれば、入院費用が出る」

「ああ」

頷いた僕に「冗談だよ」と有馬さんは笑い、「ああ、冗談でしたか」と僕も苦笑を返した。

考えてみれば、一泊何万と取られる特別室にいるのだ。どんなに保険が下りたって、割には合うまい。

「医者も匙を投げているのは本当だけどね。病院を出たところで、誰も世話をしてくれる人間がいないもんで、ここのほうが何かと便利なんだ。院長に無理を言って置いてもらっている」

そう言った有馬さんには同情を求める風も拒む風もなかった。胸の内で少し身構えたが、仕事人の話は切り出されなかった。特別室にいる有馬さんの耳には噂は入らなかったのかもしれないし、噂が入っても有馬さんには特別願い事なんてなかったのかもしれない。

「聞いてもいいかな」

紙コップの中に砂糖を入れてかき混ぜながら有馬さんは言った。

「何です？」と僕は聞いた。

「子守唄って言われて、何を真っ先に思い出す？」

「は？」

咄嗟《とっさ》に話題についていけずに、僕は聞き返した。

「子守唄、ですか？」

「そう。子守唄」

考えてみたが、思いついたのはサラ・ボーンの甘く苦い歌声とジャニス・ジョップリンの塩辛い歌声だった。けれど、それらは物心がついてから聴いたもので、有馬さんの求める答えにはなりそうになかった。

「ちょっと思いつかないですね」

「歌ってもらわなかった？」

「いや、歌ってもらったのかもしれないですけど、覚えてないです」

「まったく、何も浮かばない？」

ずいぶんとこだわる有馬さんに僕は聞き返した。

「何か、大事なことなんですか？」

「何か、大事なことのような気がしないか？」

有馬さんは真剣な目で僕の目を見返した。

「そういう風に言われれば確かに」と少し気圧《けお》されて、僕は頷いた。「何か、大事なことのような気もしますね」

質問を持て余した僕に有馬さんは軽く笑ってみせた。

「思いつかないなら、いいんだ。忘れてくれ」

有馬さんはコーヒーカップを口に運び、顔をしかめた。

「まずいな、これ」

あるいはそれは前回の質問の続きだったのかもしれない。人は死ぬときに何を考えるのか。死ぬときには、走馬灯のように過去の記憶が頭を巡るという。当てもなく巡った記憶がそれでも当てを求めるとしたなら、辿りつくのは一番元の記憶だろう。意識すら生まれていないような、浅いまどろみの中の記憶。そのまどろみの安寧《あんねい》を約束する愛情に満ちたメロディー。

そこまで考えて、僕は言った。

「ちょっといいですね、それ」

ほころんだ顔に僕の思考を察したのだろう。有馬さんはにこりと笑った。

「ちょっといいだろう？」

またカップを口につけた有馬さんは、また顔をしかめた。

「何度飲んでもまずいな」

「結構、有名なんです。ここのコーヒー。一度飲んだら忘れられない味だって」

「次からは気をつけよう」

そう言って席を立った有馬さんは、行きかけてから思い出したように立ち止まった。

「余計なことを言ってもいいかな？」

「何です？」

「私が思うに、君は少し苦労をしたほうがいい」

「はい？」

「一流企業よりは、三流企業で芽を出すタイプだ。安定成長をする大企業よりは、日々、博《ばく》打《ち》をうっているような中小企業のほうが君の良さが出ると思う」

「はあ」

「太平の世と戦乱の世とでは求められる才能が違うんだよ」

「なるほど」と僕は曖昧に頷いた。「そういうものでしょうかね」

「家康に学ぶ統率術に書いてあった」

「は？」

「売れてる本だからって言われて読んだんだけどね、役に立たなかったから、一度使ってみたかったんだ。これで元が取れた」

有馬さんはそう言って笑うと、コーヒーが残ったままの紙コップを捨てて、カフェテリアを出ていった。


ある程度予想はしていたものの、牧野くんは時間にルーズだった。約束の三時を回っても、牧野くんは現れなかった。ランチタイムの終わりとともに、いったん店を閉めると言われ、僕はカフェテリアを出た。エアコンの約束がある限り、美子ちゃんの病室くらい自分で探すだろう。そう思い、僕は美子ちゃんの病室へと足を向けた。僕が病室の前に着いたとき、ちょうど美子ちゃんのベッドの向かいにいるおばさんが病室から出てきた。

「掃除なら、あとにしなよ」

おばさんは僕に囁いて廊下を歩いていった。病室を覗き込んでみると、美子ちゃんのベッドの脇に母親がいた。病室の入り口に立った僕を見つけて、美子ちゃんが母親に言った。

「お母さん、今日はもういいから、帰って」

「まだ大丈夫よ」と答えた母親の声は変に震えていた。

「私なら大丈夫だから。ね？」

母親は言葉に詰まって、顔を伏せた。どうやら泣いているようだった。

「お母さん、本当に私は大丈夫だから」

美子ちゃんは母親の手を取って言った。母親は美子ちゃんの手を握り返し、何とか涙を収めた。

「危ないって言われながら、今までだって大丈夫だったんだもん。これからだって大丈夫だよ。私、頑張るし」

笑顔で言う美子ちゃんに母親は小刻みに頷いた。

「そうだね。頑張ろうね」

「だから、今日は、もう帰って。お父さんの晩御飯だって作らなきゃ駄目でしょ？　買い物、済んでるの？」

それでも愚図る母親を美子ちゃんは辛抱強くなだめた。うかつに近づくこともできず、僕はドアのところに立ったまま二人を眺めていた。母親の涙も、友達の涙も見たことがある。僕が見たことがあるくらいだから、美子ちゃんは何度となく見ているだろう。でも、美子ちゃんの涙は？　僕は見たことがない。母親は、友達は、見たことがあるのだろうか。

涙を隠すように顔を伏せて病室を出ていった母親は、僕には気づかなかったようだ。僕は美子ちゃんのベッドに近づいた。

「ごめんなさい」と美子ちゃんは言った。「検査の結果が出て、ちょっと参ってて」

「良くなかった？」

「あんまり」

「そう」

日を改めたほうがいいのかもしれない。仮に美子ちゃんが、溜めこんだ涙を牧野くんにぶつけるようなことになったとき、牧野くんがその涙をうまく受け止めてくれるようには思えなかった。が、遅かった。

「ああ、ここか」

のんびりした聞き覚えのある声に僕は振り返った。花束を抱えた牧野くんがいた。

「奮発したんだ。あ、気にすんな。これは俺の持ち出しでいいからよ」

その花束を見せびらかすように掲げながら、声をはばかる風もなく牧野くんは言った。僕は慌てて牧野くんのもとに駆け寄った。

「やあ、来てくれたんだ。来ると思ってたよ」

「で、その子はどこ？　出かけてるの？」

「どこって、お前」

僕は牧野くんの耳に囁いた。

「ぶち壊す気かよ」

「ぶち壊すって」

微かに振った僕の首を追って、牧野くんが美子ちゃんのほうを見た。けれど、牧野くんは不審そうに僕を見返しただけだった。

「あそこにいるだろ」

牧野くんは美子ちゃんのベッドに近づき、首を突き出すようにして美子ちゃんをまじまじと眺めた。美子ちゃんが顔を伏せた。

「はあ？」

間の抜けた声を上げて、牧野くんが僕を振り返った。

「この子が何？」

最悪だった。美子ちゃんは伏せた顔を上げようともしない。

「何を照れてるんだよ」と僕は笑いながら牧野くんの肩を叩き、何とか誤魔化そうとした。「今井美子ちゃんだよ。やっと会えたわけだ。君もずっと会いたかったんだろ？　引っ越しちゃって、新しい住所を教えたかったけど、君のほうは美子ちゃんの住所を知らなくってって、な、そうだろ？」

「違うよ。この子じゃない。俺、こんな子、知らない」

「何、言ってんだよ」と僕は牧野くんのわき腹を小突いてから耳もとで囁いた。「写真、見ただろ？　ちゃんとやれ。エアコン、いらないのか？」

牧野くんはしばらく僕の顔を見返し、それからジーンズのお尻のポケットから皺の寄った写真を取り出した。眉をひそめてじっと写真を見ていた牧野くんの目が微かに右に動いた。

右に？

「あ、こっちの」

「こっちのって、お前」

「だって、こっちだもの」と牧野くんは美子ちゃんの隣にいる子を示して、言った。「俺に住所聞いたの、こっちの、この眼鏡かけた子だぜ。俺、この子とはろくに口をきいてもいない。なあ、あんた、そうだろ？」

「ええ」

美子ちゃんは目を上げた。

「そうです。ろくに口をきいてもいません」

美子ちゃんは牧野くんに言い、僕に頭を下げた。

「ごめんなさい。嘘だったんです」

「嘘？」

「というか、どこかで私とエミとが入れ替わったみたいだったから、そのままにしておこうと思って。私はとにかくその人に会えればよかったですから」

美子ちゃんは牧野くんに向き直った。

「エミなら、覚えてますよね」

そう言った美子ちゃんの声は普段の声ではなかった。普段の眼差しでもなかった。いつか聞いた、淡々とした声。いつか見た、淡々とした眼差し。けれど牧野くんは気づかなかったようだ。

「そうだ。そう。エミちゃんだったよな。上は何だったたっけ？」

気楽に言って、丸椅子に座り、花束をベッドの上に置いた。

「サカムラです。サカムラエミ」

花束には一瞥《いちべつ》もくれず、牧野くんをじっと見つめたまま美子ちゃんは言った。

「サカムラ。そうだったたっけな。サカムラエミちゃんか。そうだった気もするな」

「気もする？」

美子ちゃんが呟いた。

「彼女は元気？」と牧野くんが言った。

「死にました。去年の冬に」

牧野くんが眉をひそめた。

「死んだ？」

「自殺しました」

「自殺って、おい、本当かよ。それは、なんつうか、ヘビーだよな。何も死ぬことはねえのになあ」

「そうですね。何も死ぬことはないです」

美子ちゃんは変わらぬ淡々とした眼差しで牧野くんを見据えていた。

「たった一度キスしただけで、死ぬことはなかったんです。これから先、何遍だってキスできたのに。何人とだってキスできたのに。死ぬことはないです。初めてキスをしたその相手が、ただ嘘の住所を教えたっていうそれだけで、死ぬことなんてなかったんです」

牧野くんは一瞬虚をつかれたようにぽかんとしたあと、猛然と食ってかかった。

「何だよ。俺か？　俺が悪いのか？　俺のせいで、その子が死んだのか？」

「修学旅行から帰ってきてからも、写真を送ったあとも、エミはずっとあなたのことを話していました。あなたがどれだけ素敵な人か。私たちの目を盗むようにして二人きりになって、そこでかわされたキスがどんなにロマンチックだったか。ずっとそればっかりでした。うんざりするくらいに、ずっと。送った写真が戻ってきて、教えられた住所を訪ねてみて、そんな住所が存在しないってわかるまでは」

牧野くんの脇に突っ立っていた僕に目を向けて、美子ちゃんは聞いた。

「どうやって探し出したんです？　手がかりなんてなかったでしょ？　頼んだときも、駄目モトだと思ってたのに」

「そこの旅館に電話してね。いくつかの罪のない嘘をついて、昔の宿帳を調べてもらった」

「ああ。旅館か。そっか。気づかなかったな」

美子ちゃんは頷いた。

「そんで、満足かよ」と牧野くんは言った。「俺のせいだな。わかったよ。いいよ、それで。

そんで満足なんだろ？　あんた、長くないんだってな。残り少ない時間をそんなことに使って、くだらねえ人生だよな。そんなことしているくらいならさっさと死ねよ。死んでいいよ」

牧野くんが立ち上がった。

「待って」

美子ちゃんが言った。腕に巻いていたビーズの腕輪を外して、振り返った牧野くんの鼻先に突き出した。咄嗟に牧野くんが受け取った。

「受け取りましたね？」

冷めた表情で美子ちゃんが言った。

「何だよ」

その腕輪を気味悪そうに摘《つま》み上げて、牧野くんが言った。

「エミからのプレゼントです。十二月の四日が誕生日だっていう、それも嘘だったんですか？　エミは何かプレゼントをしたくて、でもお金なんてないから、その腕輪、自分で作ったんです。あなたに渡すつもりだったのに渡せなくて、エミ、死ぬときにその腕輪を巻いてました。私がエミのお母さんに頼み込んで、もらいました」

「だから？」

「あなたに会いたい、そう思いながらエミはその腕輪を作って、あなたに会いたい、そう思いながらエミはその腕輪をつけて死んだんです。あなたに会いたい、会いたい、会いたい、会いたいって。その腕輪にはエミのその思いがぎっしり詰まってるんです」

「だから、何だよ」

牧野くんが怒鳴った。

「だから、エミは死んでるんですよ。死んでるエミがあなたに会いたいって思ったら、どうすればいいんです？　化けて出る？　そうかな？　それよりあなたを自分の世界に連れていくんじゃないかな？」

「連れていく？」

「気をつけたほうがいいですよ。人間って、結構、簡単に死ぬものですから。自分が思うより、ずっと簡単に」

牧野くんが息を飲んだまま固まった。凍りついた体が動くまでには少しの時間が必要だった。

「くだらねえ」

もつれる舌で牧野くんが吐き捨てて、腕輪を美子ちゃんに投げつけた。美子ちゃんは自分の胸に当たって落ちた腕輪を拾い上げた。

「怖いんですか？」

牧野くんを見もせずに美子ちゃんは言った。

「んなわけねえだろが」

肩を怒らせながら牧野くんが怒鳴り返した。

「じゃあ、持って帰ってください。せっかくのプレゼントなんですから。まあ、いいですけどね」

腕輪に目を落としていた美子ちゃんの口の両端が、すうっと上がった。

「どうせ一度は受け取ったんですから」

牧野くんの顔が一瞬表情をなくし、それからすぐに赤に染まった。

「くだらねえ」

もう一度吐き捨てると、牧野くんは後ろを振り返ることもなく病室を出ていった。美子ちゃんはそちらを見遣りもせず、手の中の腕輪をもてあそんでいた。僕はかける言葉も浮かばず、その場に立ち尽くしていた。

「少し、歩きませんか?」

やがて美子ちゃんが言った。

「外の空気を吸いたくなりました」

僕は頷き、美子ちゃんと病室を出た。

きたときに降っていた雨は上がっていた。厚い雲が風に流されて空を足早に駆けていた。

「あれで、よかったの? あれが目的だった?」

中庭を歩きながら僕は言った。

「くだらねえ」と美子ちゃんは牧野くんの声音を真似て言った。「そんなことしているくらいならさっさと死ねよ」

本当にくだらない、と美子ちゃんは呟いた。さっさと死んじゃいたい。

「でも、結構、怖かった」と僕は言った。「僕があんなことやられたら、当分、眠れない夜が続くと思う」

美子ちゃんはにっこりした。

「たとえば、細い道を歩いているときに自分の脇を車がすごいスピードで掠《かす》めていく。たとえば、ラッシュアワーの駅で、後ろから押されて階段を転げ落ちそうになる。たとえば、町を歩いていて、目つきの悪い男と目が合って絡まれそうになる。そのたびにあいつは死を見つける。一日に何度も、何度も」

そんな繊細なやつじゃないかな、と美子ちゃんは言った。

車椅子を押す小さな男の子と擦れ違った。車椅子に座った中年の女性が微笑みながら後ろの男の子に何かを話しかけていた。

「エミちゃんが死んだことへの復讐？」

二人をやり過ごしてから僕は言った。

「そういうことでもないんです。エミには腹を立ててます。その気になれば、生きていけるのに。大学にだって行けるのに。成人式だってできるし、運が良ければ、結婚式だってできるのに。私には、どんなにやりたくったって、できないかもしれないのに。それなのに、全部、あっさり放り捨てちゃって。エミが死んだって聞いたとき、悲しいより何より滅茶苦茶腹が立ったんです。もう一遍殺してやりたいくらいに。だから、たぶん、あれはただの八つ当たりです」

「八つ当たり？」

「人間だったらみんないつかは死ぬのに、それを意識しないで生きている人たちが羨ましくて、妬《ねた》ましくて。私に同情する人たちに、あんただっていつかは死ぬんだからって言い返してやりたくて。でも、そんなことできるわけもないし。それが、エミが死んだときに、こいつにだったらいいだろうと思ったんです。こいつにだったら、あんただっていつかは死ぬんだよって言ってやったって、あんただって私と同じなんだよって言ってやったっていいって思って。でも、だから、きっと、ただの八つ当たりです」

本当にくだらない、と美子ちゃんはまた呟いた。

「そう」

風が吹いて、美子ちゃんの髪を揺らした。湿った風は少しだけ夏の匂いをはらんでいた。見ることができないかもしれない夏を探すように美子ちゃんは風のやってきた方向に目を細めた。

「でも、本当のところはわからないんです。エミがどれだけ辛かったのかは、私にはわからない。私は、まだそういう風には人を好きになったことがないから」

美子ちゃんはくるりと僕を振り返った。

「お兄さん、私とキスしてくれません？」

「お願い事はもうきいた」と僕は言った。「一人、一回なんだ。すごく残念だけど」

「そっか。残念。こっちにしとけばよかった」

「またチャンスはあるよ。キスなんて、してみたいからするんじゃない。したいからするんだ」

「チャンス、あるかなあ」

さらりと笑って、美子ちゃんはまた歩き出した。僕はその横に並んだ。

「来週、病院を移ります。この病院では手術はできないそうです。名古屋のほうに専門の先生がいるらしいんです。そこで、たぶん、手術を受けます」

「きっとうまくいくよ」と僕は言った。「すべてうまくいく」

僕の言葉が終わる前に、横にあった美子ちゃんの体が不意に視界から消えた。美子ちゃんは膝をつき、頭を抱えて、体を震わせていた。僕はしゃがんでその肩に手を置いた。

「……んです」

「え？」

「嘘なんです。怖くないなんて嘘。怖い。すごく怖い」

すべてがうまくいくだなんて、僕はもう一度、その肩に声をかけたりはできなかった。美子ちゃんは両手で僕の腕をつかんだ。腕にあった美子ちゃんの両手が肩に這い上がってきた。僕は何も言えなかった。僕らは互いに膝をついたまま抱き締め合った。美子ちゃんの荒い息遣いがあった。僕のお腹のあたりにある美子ちゃんの胸が、心臓の力強い躍動を伝えてきた。それが止まることと美子ちゃんが死ぬこととの関係がどうしても理解できなくて、僕は不意に魂というものの存在を信じられそうになった。

怖いよ、怖いよ、と美子ちゃんが繰り返した。どれだけ堪《こら》えていたのだろう。美子ちゃんの唇はとめどなく「怖いよ」を繰り返し、美子ちゃんの目から溢《あふ》れた涙が僕のシャツを濡らした。それでも僕は馬鹿みたいに背中をさすることしかできなかった。美子ちゃんが顔を上げた。すべての「怖いよ」を吐き出したその唇が、別の何かを求めていた。美子ちゃんの両手が僕の首に回り、襟をつかんだ。その手に力がこもって引き寄せられるその前に、僕は自分から唇を合わせた。美子ちゃんの肩が一度ビクンと跳ね上がり、そして美子ちゃんの体から力が抜けた。

キスはしたくてするものでもない、と僕は訂正した。そうせざるをえないからするのだ。そう思った。たぶん、魂というものは確かに存在していて、それが体という不自由なものの中で悲鳴を上げたとき、それは唇を通して別な魂と触れ合うことを求めるのだろう。そんな気がした。僕なんかの魂で美子ちゃんの魂が安らぐことはないのかもしれない。けれど、何もないよりはマシだろう。そう思うしかなかった。そう思って僕は、泣きたくなった。

「キスしちゃった」

美子ちゃんは笑って涙を拭いた。

「うん」と僕は言った。

「二つも、お願い、きいてもらっちゃった」

「うん」と僕は言った。

「三つ目にセックスっていうのは？」

「アホ」と僕は言った。

翌週、美子ちゃんは病院を移った。その翌月に手術を受け、その四日後に死んだと聞いた。

僕は信じなかった。病院の噂なんて、たいがい不幸な形に捻《ね》じ曲げられるものだから。

いつかきっと、病院宛に美子ちゃんからの手紙が届くだろう。そこにはきっと、新しい病院のことや、今年の夏の暑さにうんざりしていることなんかが書かれていて、それからきっと、ちょっと気になっている男の子のことなんかが書かれていたりするのだろう。それを読んだ僕はきっと、それはよかったなんて思いながらも、頭の片隅くらいでちょっと、その見も知らぬ男の子に嫉妬してみたりするのだろう。

僕はそう信じている。

ACT.3 FIREFLY

1

彼女は小さな旅行鞄を提げていた。僕は勤務時間を終え、自販機で買ったジュースを飲みながら、がらんとした外来受付の長椅子に座っていた。僕に気づかず、彼女は隅に三つ並んだ公衆電話へと歩いていった。どこかで見た顔のような気がして、僕は何となく彼女の姿を目で追った。三十にはいくらか間があるのだろうか。長く茶色い髪の毛をしていた。高いヒールの靴。洒落《しゃれ》たデザインのワンピースに、一見してそれとわかるくらい大きなブランドマークの入ったベルトを腰に回していた。OLにも主婦にも見えない。彼女はどこか崩れた雰囲気をまとっていた。

僕の視線に気づかぬまま、彼女は電話をかけた。相手が出たらしい。数字までは読み取れなかったが、テレフォンカードの度数を示すランプの文字が動いたのがわかった。けれど彼女はすぐには口を開かず、しばらくの間を置いてから喋り始めた。

「私です。今日、検査の結果が出て、再入院ということになりました。また電話します」

いったん受話器を置いてから取り直し、しばらく迷ってから、結局、かけ直すことなく、彼女はまた受話器を置いた。電話機に両手をついてうつむいていた彼女は、やがて意を決したように顔を上げて振り返った。そこで僕と目が合った。彼女の頰が緩んだ。

「ああ」と彼女は言った。

「どうも」

正面から見たことで思い出し、僕も立ち上がって礼を返した。

「上田《うえだ》さん、ですよね？」

三ヶ月前まで入院していた患者だった。入院中は素顔だったので、メイクをしたその顔にピンとこなかったのだ。確か乳癌で入院し、手術が成功して、退院したはずだった。

「戻ってきちゃった」

上田さんは軽くぼやくように言った。

「また戻ってきちゃったよ」

検査の結果、再入院と言っていた。癌が再発したということだろうか。

「また頑張らなくちゃいけませんね」

僕が言うと、上田さんは醒めた笑顔を見せた。

「よしてよ、そういう気休めは。再発したのよ。もう駄目。子供だってわかるわよ」

それは嘆きというには乾き過ぎていたけれど、悟りと呼べるほどまでには乾き切っていなかった。一応の入院準備をして検査の結果を聞きにきたのだから、上田さんにだって相応の心の準備はあったのだろう。けれどいくら準備していたからといって、すぐに消化し切れる事柄でもない。乳癌というものが、本当に、再発したら「子供だってわかる」くらいに「もう駄目」なのか、僕は知らなかったし、上田さんにだってわかっているわけではないのかもしれない。けれど、いたずらに自らを嘲るようなその口調に、僕は言葉を返せなかった。誰もいない外来受付では、話題も視線も逸らしようがなかった。言葉のない僕らをよそに、自動販売機が低い唸《うな》りを立てていた。

「ごめん」

やがて上田さんが言った。

「他に言い様なんてないよね。慰めてくれたのにね。ごめん」

「いえ」としか僕は言えなかった。

上田さんは歩いてきて、僕の隣に座った。熟した果実のような甘い香水の匂いが流れてきた。近過ぎる距離に緊張して顔から外した視線は、薄いワンピースを大きく押し上げる上田さんの二つの胸に行ってしまった。襟《えり》もとから覗く白い肌にうっすらと汗をかいていた。乳癌で手術をしたというのなら、その二つの胸のうち、どちらかは作られたものなのだろうか。

「嫌な予感はしてたの」

上田さんが口を開き、僕は慌てて上田さんの胸から視線を外した。

「前に入院してたときにね、変な噂を聞いたから」

「変な噂？」

「この病院にはね、死を前にした人の願い事をかなえてくれる人がいるっていう噂。その噂は、死を前にした人の耳にしか入らないんだって。それを聞いたってことは、私も死ぬってことでしょ？　実際、私にその話をしてくれたお爺さんも、私が退院したすぐあとに死んじゃったらしいし」

しゃらくせえ。

不敵な呟きが耳に蘇った。時期的に考えるなら、上田さんにそれを教えたのは三枝老人かもしれない。ふと退院する姿を老人と見送った一人の女性を思い出した。あれは、メイクをした上田さんだったか。こちらに軽く頭を下げたのは、たまたま自分を見ていた僕らと視線が合ったからではなく、過去に話したことのある三枝老人を見つけたからだったのかもしれない。

「それは考え過ぎですよ」と僕は笑った。「その噂なら僕だって知ってます。必殺仕事人伝説でしょ？　その人は掃除夫の一人でって、あれでしょ？　知ってますよ。結構、有名な噂です」

「そうなの？」

「みんながみんなってことはないでしょうけど、結構、知られてると思いますよ」

「何だ。そうなんだ」

少し安心したように体から力を抜いて、上田さんは背もたれに身を預けた。

「でも、そんな人、本当にいるのかな。君、掃除夫だよね。誰か心当たりない？」

「そんなのただの噂ですよ」と僕は笑った。「学校の怪談と同じでしょう。結構、どこの病院にもあったりするんじゃないですか」

「そうなのかな」

上田さんが呟いたとき、ベテランの看護婦さんが姿を現した。

「あ、こちらでしたか」

上田さんが立ち上がった。

「すみません。ちょっと電話をしてたものですから」

「また頑張らなきゃいけませんね」

上田さんはちらりと僕を見て笑い、その笑顔をそのまま看護婦さんに戻した。

「はい。お世話になります」

「病室にご案内しますわ」

看護婦さんのあとに続いた上田さんは、少し行ってから足を止め、僕を振り返った。

「ねえ、もし、その仕事人を見つけたら、私の病室にくるように言ってくれない？」

「よしてくださいよ」

「だから、もし見つけたら、よ。もし本当にそんな人がいるんだったら、私にも頼む権利はあると思わない？　ちゃんと再発しているんだから」

「ちゃんと再発ってこともないでしょう」と言って、僕は聞いた。「でも、もしそんな人がいたら、何をお願いするんです？」

うーん、と天井を睨んで上田さんは考えた。

「ま、そのときまでに考えておくわ。とにかく、頼んだよ」

上田さんはひらりと手を振って、看護婦さんのあとを追った。

風のない日が続いていた。わざわざ教えてもらわなくたって、平年より暑いことは誰にだって実感できるはずなのに、天気予報は毎日のように猛暑、猛暑と連呼していた。母に言わせればそれは、エアコン会社の陰謀ということになるらしい。ついでに言うのなら、我が家のエアコンが壊れたのも、エアコン会社の陰謀に違いないということだ。

「だいたい、二十年つつがなく動いていた機械が、見計らったように一番暑い夏に動くのをやめるなんて、でき過ぎだと思わないかい。きっとそういう風にプログラムされているのよ」

人為的な陰謀にせよ、必然的な機械の寿命にせよ、我慢できないほど我が家が暑いことに変わりはなく、僕はいつもより早目に家を出て、いつもより早目に病院の門をくぐった。カフェテリアで冷たいものでも飲もうと正面出入り口へ歩いていた僕は、中庭のひまわりの近くのベンチに座る二人の姿に足を止めた。

よお、という形に口が動いて、森野が僕に手を上げた。森野と話していた男が僕に目を向けた。どうやら森野がそう期待しているようだったので、僕はそちらへ足を向けた。僕が近づくまでに、男がベンチから立ち上がって僕を迎えた。年は三十をいくつか越えた辺りだろう。白衣を着ているのだから医者なのだろうが、僕は見た覚えがなかった。背は頭一つ僕より高かった。理知的で穏やかな目をしていた。

「こんにちは」と僕は言った。

「幼馴染《おさななじみ》の神田です」と森野が僕を紹介した。「今、こちらで清掃のアルバイトをさせてもらっています。せいぜいこき使ってやってください。目を離すと、すぐにサボりますから」

「五十嵐《いがらし》です」と男は穏やかに微笑みながら右手を差し出した。「よろしく」

僕はその手を握り返し、聞いた。

「五十嵐さんとおっしゃると」

「病院長の息子さんだ」と森野が言った。「以前はこの病院に勤務していらっしゃって、それから三年ほどアメリカに留学しておられたんだけれど、勉強を終えられて、今回、戻ってこられた」

立て続けられた敬語に、僕は森野の顔をうかがった。森野は僕の視線に気づかぬふりですました顔を作っていた。

「長い間、留守にしていたものでね」と五十嵐さんは僕にとも森野にともつかず言った。「今の病院のことなんか全然わからない。新米医師と思ってくれればいいよ。今度ゆっくりと、今の病院のことを色々教えてもらえると助かるな」

最後は専《もっぱ》ら森野に向けられていた。

「ええ、今度ゆっくりと」

必要以上に女の顔をして森野は微笑んだ。

その森野に微笑み返し、それじゃ、と、これは僕に向けて言うと、五十嵐さんは病院の建物のほうへ歩いていった。その背が消えるのを待って、森野が溜めていた息をふうと吐き出した。慣れない表情に疲れたのだろう。森野は頰の辺りを両手でさすった。

「いい人に見えるけどな」

五十嵐さんが歩いていったほうを眺めながら僕は言った。

「顔もいいし、背も高いし、頭も良さそうだし、その上、病院長の息子とくれば完璧だ。何が駄目？」

森野が敬語を使うときは、大体において相手を気に入っていない証拠で、その森野が舌を嚙みそうなくらいに敬語を駆使したのだから、舌を嚙みたくなるくらいに五十嵐さんのことが気に入らなかったのだろう。

「別に駄目ってことはない」と森野は言った。「ただ苦手ってだけだ」

「顔がいいのも、背が高いのも、頭がいいのも、病院長の息子に生まれてきたのも五十嵐さんのせいじゃない。コンプレックスだけで人を嫌うのはどうかと思う」

「ああ、ああ。どうせ私はブスで、スタイルも頭も悪くて、ついでに葬儀屋の娘だよ」

「そうは言ってない」

「言ってるだろ？」

「そうだった？」

森野がどかりとベンチに座り直したので、僕もその隣に座った。僕らの後ろでは、肩の高さくらいにまで育ったひまわりたちが、もう少し太陽に近づこうと逞《たくま》しい一本足で背伸びをしていた。思わず団扇《うちわ》であおいであげたくなるくらい一生懸命な彼らの姿は、微笑ましくもあったが暑苦しくもあった。

「何かなあ、苦手なんだよ。ああいうタイプ。自信に満ちているっていうか、そういうの。裏返しで世間を舐《な》めているような気がしてさ。もっとあからさまに威張り散らしてくれたりすれば、対処のしようもあるんだけどよ。ああ穏やかに振舞われると、どうにもね」

ふと中学時代にそういう教師がいたことを僕は思い出した。

「階段から突き落としたくなる？」

僕が言うと森野は笑った。

「古いことを覚えてるな」

「中三のときだっけ？　あの教師、まだ学校にいるのかな」

「教頭になったとか聞いたぞ」

シャツをパタパタとあおいで風を送りながら森野は言った。

「へえ。出世したんだ」

「まったくなあ」と森野はシャツをあおぎ続けたまま、天を仰いで嘆息した。「処女の中学三年生を放課後に残らせて、二人っきりの教室で襲おうとするようなやつが教頭になるんだから、世も末だよな」

僕は驚いて森野の顔を見返した。

「え？」

「逃げ出したら、階段のところまで追っかけてきやがってさ。押し倒されたところで、起死回生の巴投《ともえな》げ。あれは気持ちよかったな。我が生涯一の巴投げであろう。うん、うん」

「巴投げって、おい、そんなこと、聞いてないぞ。だいたい、それでどうして森野が怒られるんだよ。ご両親も呼び出されて、校長から説教食らってたよな」

「誰にも言わなかったからな。あのクソ教師が自分から言うはずもないだろうし」

「何でそんなやつを庇《かば》うんだよ」

「庇っちゃいないよ。私が嫌だったんだよ」

「嫌って、何が」

「さあな。忘れたよ。処女のときの自分が何を考えてたかなんて」

森野は体をひねってベンチの背もたれに肘をつき、後ろのひまわりを眺めるようにしながら言った。

「ただ、何となくそのクソ教師に汚された気がしたんだろう」

「気がしたって、だって」

「好きな人がいたんだよ」

「え？」

「中学のときに。だから、その人には絶対に知られたくなかったんだ。その人に、自分のことをそういう目で見て欲しくなかったんだ」

言葉につまった僕を見て、森野は笑った。

「乙女心は複雑なんだよ」

「聞いてないぞ」

「誰にも言ってないからな」

それにしても、あちいなあ。

呟いて森野は太陽を睨みつけた。

「誰？」

「うん？」

「中学のとき好きだった人って」

森野はからからと笑った。

「さあな。忘れたよ。処女のときに自分が好きだった人なんて」

ほら、バイトだろ。

僕のふくらはぎを軽く蹴って、森野は立ち上がった。

「せっせと働け。紹介した私の顔を潰すなよ。それに死にかけの患者を見かけたら、森野葬儀店の宣伝も忘れるんじゃないぞ」

じゃな。

肩越しに手を振って、逞しい二本足で森野は歩いていってしまった。照りつける太陽の中、悠々と歩き去るその後ろ姿を僕は見送った。女の子は男の子より成熟が早いという。中学のときの森野が僕よりずっと大人だったからといって今更驚くつもりもないが、それにしたって子供のときについたその差は、いったいいくつくらいになったら挽回できるのだろう。


この前と同じ人なのか、違う人なのか。とにかく相手は今回も出なかったらしい。テレフォンカードの度数が落ちて、しばらくの沈黙のあとに上田さんは喋り始めた。

「私です。まだ病院です。再入院から四日経ちました。体力は」

上田さんは確認するようにあいていた左腕を曲げ伸ばしした。

「まだ落ちていないようです。元気ですって言うのも変だけど、元気です」

上田さんは続く言葉を考え、また口を開いた。

「でも、夜中に向かいのベッドのおばさんのいびきを聞いていると何だか泣けてきちゃいます。すごいいびきなの。私は生きてるんだぞって感じの。私はあんなすごいいびきはかけないな」

少しだけ愚痴っぽく響いてしまった言葉を取り消すように上田さんはくすっという笑い声を挟んだ。

「そんなこと無理なのはわかっているけど、色んなこと、あなたと話せたらいいな。あのおばさんのいびき、あなたが聞いたらどう感じるのかな」

微かに甘えるような声の響きに、僕は電話の相手を想像してみた。年上。もちろん男。まさか父親ではないだろう。恋人だろうか。けれどそれならば、おばさんのいびきについてだって、色んなことについてだって、いくらでも話せるはずだ。あるいはその人は、仕事の都合か何かで、どこか遠くに行っているのだろうか。

上田さんはしばらくまた次の言葉を考えた。今度は思いつかなかったのかもしれないし、思いついた言葉を飲み込んだのかもしれない。

「また電話します」

それだけ言って上田さんは受話器を置いた。咄嗟《とっさ》に僕は廊下を三歩戻り、角を曲がり直した。

「ああ」

上田さんが僕を見つけて手を上げた。上田さんに声をかけられて初めて気づいたように僕は足を止めた。

「あ、こんにちは」

「仕事人は見つからない？」

公衆電話を離れて、上田さんは僕のほうへ歩いてきた。真面目な顔を作っているところを見ると、どうやら冗談らしい。

「見つかりませんね」

僕も真面目な顔を作って答えた。

「張り紙でもしておきましょうか。ウォンテッド・デッド・オア・アライブって」

「死んでちゃしょうがないじゃない」と上田さんは笑った。

明るく作られたその笑顔に寂しそうな影を見たのは、僕の錯覚ではないと思う。

入院直後の患者には総じて見舞い客が多い。家族、親戚、友人、近所の人たち。その数は半月経ち、ひと月経ち、となっていく中で、目に見えて減っていく。それを責める気にもなれない。患者の時間は入院した時点で止まる。けれど周囲の人の上には今までと同じ時間が流れる。当たり前の日常は、日常の外にいる人間への過剰な関わりを許してはくれない。学校もあれば、会社だってある。食事も作らなければならないし、掃除だってしなければならないし、たまには布団だって干すだろう。黙って寝ていれば食事が出てきて、知らない間に埃が掃かれていて、検査の間にシーツを取り替えてもらえる入院患者とは違うのだ。

けれど、上田さんには最初から見舞い客がいなかった。少なくとも僕は見かけたことがなかった。前の入院のときに来尽くしてしまったのかもしれないが、それにしたって、見舞い客が一人もこない患者というのも珍しい。

「毎日暑いよね」

上田さんは窓際へ行って、外を見ながら呟いた。

「そうですね」

話し相手になるつもりで、僕も上田さんの隣に立って外を眺めた。目の奥でハレーションを起こしそうなほど明るい陽射しが窓の外にあった。ベンチの後ろのひまわりたちが見えた。彼らは相変わらず一本足で太陽を目指していた。ふと誰かの影を見たような気がしてベンチに視線を戻したが、そこには誰もいなかった。風がないせいだろう。窓の外の世界は、静止画のように身じろぎ一つしなかった。

「うん？」と上田さんが言った。

「はい？」と僕は視線を上田さんに戻して聞き返した。

「今、何を考えてた？」

「今？」

「ちょっとセンチメンタルな顔をしてたよ」

「ああ」と僕は笑った。「ちょっと人を思い出してました」

「誰？」

「前にこの病院にいた女の子です。どうしてるかなと思って」

「恋人だったとか？」

僕は笑って答えなかった。それをどちらの意味に取ったのか、上田さんは、ふうん、と頷いた。

「ねえ、君は暇な人？」

「かなり自信はありますけど」

「学生だったよね。大学とか、忙しくないの？」

「もう四年だから、授業なんてほとんどないんです。就職活動も諦めましたし」

「諦めて、それでどうするのよ？」

「実は何も考えてないんです」と僕は笑った。「この前、大学の主催する交換留学生のテストがあったんで、洒落で受けてはみたんですけど、すごい倍率だからまさか受かりはしないでしょうし。卒業してから、ゆっくり考えようと思ってます。恥ずかしい話ですけど」

「それじゃあ、すっごく暇なわけね？」

「ええ、まあ」

　上田さんが辺りをはばかるように小さく手招きし、僕は上田さんに顔を寄せた。

「じゃ、個人的にバイトする気ない？」

「額と内容によりますけど」

「今度の入院で勤めてた店を辞めたから、そこへ行って私物を取ってきて欲しいの。一万円でどう？」

「それくらいなら二千円でいいですよ」

　近づけていた顔を離して、上田さんはしかめ面を作った。

「それじゃ、タクシー代にもならないじゃない」

「場所は？」

「新宿」

「電車で行けば、途中で冷たいものも飲めるし、煙草も買える額です」

　上田さんは呆れたように笑った。

「君ってば、意外にいい人なのね」

「学習しただけです。おつりを返し損ねると利子が高くつく」

「何？」

「資本主義社会における単純な経済学です」

しばらく僕の顔を見つめてから、上田さんは理解を諦めたように笑った。

「ま、その気になったら、一万円請求しなよ。払ったげるから。じゃ、頼めるのね？」

「明日にでも行ってきます。その店の場所、教えてください」

「何か書くものある？」

僕は作業着の胸のポケットに突っ込んでいたペンを差し出した。が、あいにくとメモになるような紙は持っていなかった。周囲をぐるりと見渡してみると、ちょうど速水さんがごみ袋を両手に提げて廊下を歩いてきた。

「あ、速水さん」

声をかけたのだが、速水さんは僕に気づかなかった。その耳にはいつものようにイヤフォンが差し込まれていた。そこに本当に音楽が流れているのか、僕はたまに不思議になる。流れているはずの音楽に合わせて速水さんが鼻歌を歌うこともなければ、足や指がリズムを刻むこともない。そこから音が漏れてさえいなければ、それは余計な受け答えをしないための小道具にしか思えなかったろう。

仕方なく僕は速水さんの前に回り、大きく手を振った。何だ、と問いかけるように速水さんが足を止めた。

「何でもいいんで、紙、ありませんか」と言いながら、僕はペンを走らせる仕草をした。

速水さんはしばらく僕の仕草を眺め、それから仕方なさそうにイヤフォンを外した。

「紙です」と僕は言った。「何でもいいんで、紙、ありませんか？」

速水さんは持っていたごみ袋を下ろし、その中からくちゃくちゃに丸められた紙を取り出した。丸められたまま僕に突き出す。広げてみると、印刷に失敗した入院食の献立表だった。表はともかく、裏はメモに使えそうだった。

「どうも」と僕は言った。

「おばさん、ひょっとして必殺仕事人じゃありません？」

僕らのやり取りを眺めていた上田さんがくすくすと笑いながら言った。イヤフォンを耳に入れ直そうとしていた手を止めて、速水さんがじろりと上田さんを睨んだ。

「あ、いえ、何かハードボイルドな感じだから」と速水さんの視線を受けて少したじろぎながら上田さんは言った。「ごめんなさい」

「そんな人、いやしないよ。変なこと言うんじゃないよ」

速水さんはぶっきらぼうに言うと、イヤフォンを耳に押し込んで歩いていってしまった。

「私、何か悪いこと言ったかな？」と上田さんは言った。

「気にしないほうがいいです」と僕は言った。「だいたい、いつもあんな感じですから。返事をしただけ、今日は機嫌がいいのかもしれません」

「あれで？」

呆れて速水さんの背中を見送る上田さんに、僕は広げた紙を差し出した。

「でも、本当にみんな知ってるのね」

紙を壁に当てて、新宿駅から店までの簡単な地図を描きながら上田さんが言った。

「え？」

「必殺仕事人伝説」

「ああ」と僕は頷いた。

速水さんは誰からそれを聞いたのだろう。ひょっとしたら、掃除夫であるという噂を頼りに、速水さんにその話を持ちかけた人もいたのかもしれない。そう思って、僕はおかしくなった。持ちかけた人は、あの対応にさぞかし面食らったことだろう。

2

上田さんの勤めていた店は、新宿の東口から少し離れた通りにあった。派手に店名が書かれたドアの前に立って、僕は腕時計を確認した。四時。それより前だと誰もいないし、それよりあとだと開店準備でみんな忙しいから。地図を僕に渡しながら、上田さんはそう言った。言われたときに大体の予想はついていたが、店は予想した通りの店だった。コンパニオン募集。高給保証。未経験者歓迎。委細面談。チラシを横目に見ながらドアを押し開けた。その業種の店として、大きいのか小さいのか、僕にはよくわからなかった。半円のソファーに囲まれたテーブル席が五つ。カウンター席が六つ。その騒音でドアを開ける音は聞こえなかったはずだから、差し込んだ日の光のせいだろう。毛の長い赤い絨毯《じゅうたん》に掃除機をかけていた男が振り返った。僕を認めて、男は掃除機のスイッチを切った。不意に訪れた静けさが変な緊張感を運んできた。支えていた手を離しただけでドアは勝手に閉まり、日の光が消えた店内は、その店に相応《ふさわ》しい不健康さをかもし出していた。

「ああ？」

三十歳くらいの男だった。固そうな髪を短く刈りこんでいた。顎の辺りに古い傷跡があった。僕の先入観のせいかもしれないが、剣呑《けんのん》そうな目をしていた。あいにくとコンパニオンはまだ出勤してないらしい。店にいるのは男だけだった。

「前のチラシを見まして」と緊張していないことを自分自身に証明するためだけに僕は言った。「高給っていうのはいくらくらいになりますかね」

「ああ？」

男の目が細くなった。

「あ、いや。冗談です」

「ああ」

男の目が元に戻った。

「あの、上田さんから頼まれまして」

「ああ？」

また男の目が細くなった。

「あの、私物を取ってくるようにって」

「ああ」

また戻った。

男は頭から足まで僕の一通りを眺め、足まで下りた視線を返すついでのように奥を顎でしゃくった。見てみると、カウンターの先に茶色いドアがあった。

「あっち？」と僕はそのドアを指して聞いた。

「ああ」

男は頷いた。

「勝手に入っても？」

「ああ」

「どうも」と僕が頭を下げたときにはもう、男は掃除機のスイッチを入れていた。また巨大な騒音が店の中に満ちた。僕は掃除機のコードをまたいで、男の示したドアへ向かった。

ドアの向こうは小さな部屋だった。コンパニオンたちの控え室なのだろう。壁際にはスチール製の細いロッカーがずらりと並んでいて、会議用に使われるような細長いデスクの上には雑誌が散乱していた。僕はロッカーに貼られた名札を見て回った。ヒトミもリョウコもユウも、ジェシーという名前まであったけれど、早苗《さなえ》の名前はなかった。僕は入ってきたドアを開けた。ちょうど男が掃除機のスイッチを切ったところだった。

「あの」

男が僕を振り返った。

「上田さんのロッカー、どれですかね？」

「ミヅキ」と男が短く答えた。

ミヅキのロッカーには大したものは入っていなかった。化粧品のつまった小さなポーチ。高いヒールのサンダルが三足。まだ封を切っていないストッキングが二つ。黒の丸い縁の小さな手鏡。あとは客のものと思しき何十枚かの名刺と百円ライター。用意してきた紙袋は大袈裟だったようだ。

僕がそのロッカーの中身をすべて紙袋に放り込んだところで、ドアが開いた。ふらりと入ってきた男は、細長いデスクに腰を預けると、胸のポケットから煙草を出してくわえた。

「ミヅキちゃん」と男は煙を吐き出しながら言った。「元気か？」

男が何をどこまで承知しているのかわからなかった。上田さんが男に何をどこまで伝えていいと思っているのかもわからなかった。僕としては曖昧に頷くしかなかった。

「ええ」

「まあ、元気です」

それでも男が僕をじっと見ているので付け足した。

「そう」

「ええ」

さっさと立ち去りたかったが、男の話は済んでいないようだった。男が差し出した煙草を断り、僕はポケットから自分の煙草を取り出して、火をつけた。

「向いてなかったんだよな、最初から」

男の声に感情がこもった。

「はい？」

「この仕事。ミヅキちゃんには」

ひどく疲れたような口調で呟くと、男はふらりと歩いていって、ミヅキの名札のあるロッカーの前に立った。

「ああ」と僕は言った。「そうでしたか」

「そうだよ。向いてねえ。全然、向いてねえ。どぶの中にしか棲めない魚もいれば、澄んだ川にしか棲めない魚もいる。そうだろう？」

男は足の先でロッカーを小さく蹴飛ばした。

「ええ。まあ」

「どっちが良いとか悪いとかじゃないんだよ、そういうのは」

ため息をつきながら男は灰を床に落とした。真似をするわけにもいかず、僕は目線で灰皿を探した。

「体、悪いんだろ？」

男は言った。

「ええ」

机の端にあったアルミの灰皿を身を乗り出して引き寄せながら僕は頷いた。

「そっか」

男のため息に視線を戻した。がっくりと肩を落とした男の姿があった。

「悪いのか」

どうやらカマをかけられたらしい。

「だいぶ、キツそうだったもんな。早くこんな仕事辞めろって言ってたんだけどな」

呟いてまたロッカーを蹴飛ばすと、男は睨みつけるように僕をじっと見た。

「命に関わるくらい悪いのか？」

その迫力に気圧《けお》されなかったわけでもないが、それよりもそこにある依怙地《いこじ》な誠実さみたいなものに僕は負けた。

「関わると思います。詳しくは知らないですけど」

「そっか」

男はまたため息をついた。

「あの、電話とか、ありませんでしたか？」

「ああ？」

「電話です。最近、留守電にメッセージとか、入ってませんでしたか？」

「ミヅキちゃんから？　俺に？」

「ええ」

「ないよ。ない。あるわけない」

男はロッカーから離れた。壁際に歩いていって、換気扇のコードを引っ張った。フラップが開いて、換気扇がクルクルと回り始めた。

「あんた、ミヅキちゃんの男じゃないのか？」

「上田さんが入院している病院のものです」

「そっか」

「上田さん、退屈そうです。長い入院になるでしょうし、お見舞いの人もあんまりいなくて。だから、一度、お見舞いにきてください。きっと、喜ぶと思います」

「喜ぶもんか。俺なんかが行ったって」

男は自分に言い聞かせるように呟いた。

俺なんかじゃ駄目だよ。

「誰ならいいんです？」

僕の頭には留守電に話しかける上田さんの寂しそうな横顔があった。男には残酷な質問だろうと知りつつ、僕は聞いた。

「上田さんが会いにきて欲しがっている人って、誰か心当たりありますか？」

「わからん」と男は言った。「俺じゃないってのは確かだけどよ」

傷ついたような表情を男ももう隠そうとはしなかった。

「そうですか」

「よろしく伝えてくれ。早く元気になれって。元気になってもこんなとこには戻ってくるなって」

話は終わったようだった。男は煙草を落として、靴で踏み消した。僕は紙袋を提げ、くわえ煙草のまま、その店を出た。

奇妙な二人組だった。一人は黒っぽい細身のスーツを着て、黒い縁の眼鏡をした背の低い中年男。一人は涼しげな麻のスーツを着た、見上げるくらいに大きな若い男。どこかユーモラスなくらいに高低差をつけた二人組が歩いている姿に、それでも違和感を覚えないのは、二人に共通した雰囲気のせいだろう。二人には、バランス悪く積み上げた積み木みたいな危うさがあった。それが崩れたあとの二人がどうなるのかは、あまり想像したくなかった。

上田さんの病室に向かっていた僕は、声をかけられないよう目を伏せて擦れ違おうとしたのだが、二人は僕の押していたカートの前に立ちはだかった。

「お仕事中、大変申し訳ありませんが」と眼鏡をかけたほうが言った。「有馬さんの病室はどちらでしょうか？」

無理に標準語を喋《しゃべ》ろうとはしていたが、アクセントは明らかに関西のものだった。無理に丁寧に喋ろうとはしていたが、言葉が口に馴染んでいなかった。

「さあ」

僕は咄嗟に首をひねった。二人が有馬さんに何の用事があるかは知らないが、幸福を運ぶ役柄は二人に似合いそうにはなかった。

「ちょっとわからないです」

二人はちょっと顔を見合わせて、また僕に向き直った。

「それでは」とまた眼鏡が言った。「特別室というのはどこでしょう?」

まさか知らないと答えられるわけもなかった。

「ご案内します」と僕は言って、歩き出した。口で説明すれば十分だったけれど、二人だけで有馬さんのもとへやるのはためらわれた。

「それはご丁寧に」と眼鏡が言った。

僕はやってきた廊下を取って返して、エレベーターで最上階まで上がった。二人を従えて廊下を歩き、特別室のドアをノックした。返事はなかった。そのことに僕は少しほっとした。

「いらっしゃらない」

ようですね、と僕が言い切る前に、僕を押し退《の》けるようにして眼鏡がドアを引き開けていた。唖然とする僕を尻目に二人は病室に入っていった。

「いや、ちょっと」

僕もカートを廊下に残し、特別室に入った。眼鏡が小さなバスルームに続くドアを開けていた。麻のスーツの大男がトイレへ続くドアを開けていた。

「いませんね」と眼鏡が言った。

麻のスーツも黙って首を振った。

二人は顔を見合わせ、眼鏡が頷き、麻のスーツが頷き返し、同時に部屋を探索し始めた。シーツをめくり、マットレスの下を探り、ベッドの下を覗き込んだ。まさかそんなところに有馬さんがいると思っているわけではないだろう。何か別の探しものだろうか。

「あの、ちょっと」

さすがに放っておくわけにもいかないと思い、僕は声をかけた。二人が同時に顔を上げて僕を見た。餌を前にお預けを食らった犬みたいな目をしていた。下手なことを言えば、積み木が崩れそうだった。

「あ、いや。何でもないです」

二人はまた探索を始めた。立ち働く二人に追い立てられるように僕は窓際へ寄った。二人の探索は機械的で、効率的だった。病室を半分に分け、窓の側を眼鏡が、ドアの側を麻のスーツが担当しているようだった。眼鏡は靴を脱いでベッドに上がると、外れる場所がないか天井を手で押し始めた。麻のスーツは寝そべるようにして空調の排気孔を調べていた。最初からまともな場所を探すつもりはないらしく、ベッドサイドのワゴンにも、壁に備え付けられた戸棚にも、二人は目もくれなかった。下手に目が合えば変な言いがかりをつけられそうで、僕は二人から視線を逸らし、窓の外を眺めた。

中庭に一人の男の子がいた。確か入院患者の息子さんだ。外科病棟へ入院している父親を見舞いにきたのを何度か見た覚えがあった。男の子が見つめる先には缶が立てられていた。

男の子は三メートルほど離れたところにあるその缶をじっと眺め、それからくるりと後ろを振り返ると、自分の肩越しに小石を放り投げた。小石は缶から少し逸れたところに落ちた。男の子は振り向き、立ったままの空き缶を無念そうにしばらく眺め、それからまた後ろ向きになって小石を放り投げた。五つ投げても小石は缶には当たらなかった。男の子は缶のところへ行って、自分の投げた小石を拾い集めると、またもとの場所へ戻って、小石を放り投げた。遊んでいるように見えたが、それにしては男の子の顔は真剣過ぎた。何かを賭けているのかもしれない。小石が当たれば、父親の病気が良くなる、とか、そんなことだろうか。男の子がまた石を放り投げた。

「あかん」

いつのまにか眼鏡が僕の隣に来て、男の子を見下ろしていた。眼鏡の言葉通り、小石は缶からだいぶ逸れたところに落ちた。それから三つ投げても、小石は当たらなかった。最後に手に残った小石を男の子はぎゅっと握り締め、それに念を送るように目を閉じた。その子の独り言が聞こえそうだった。

今までのは練習。これが本番。本当の本番。

男の子はじっと缶を睨みつけると、くるりと振り返って、それから慎重に小石を放り投げた。

「あかんわ、それも」

眼鏡が呟いた。コン、という音がここまで聞こえてきて、缶が倒れた。眼鏡の言う通り、男の子の小石は缶からほんのわずかに逸れたところに落ちていた。缶を倒したのは、植え込みの陰から投げられた石だった。けれど、もちろん、男の子にそんなことわかるはずはなかった。コン、という音にびっくりしたように男の子は振り返り、倒れている缶を確認すると、小さくガッツポーズをして、それからガッツポーズをした自分に照れたように足早に歩き出し、もう一度振り返って倒れた缶を確認すると、こくりと頷いてから、どこかへと駆けていった。男の子の姿が消えると、植え込みから男が現れた。僕は息を飲んで、眼鏡の顔をそっとうかがった。

「世の中、捨てたものでもないですね」

無理に標準語に戻して、僕ににっこり笑うと、眼鏡はまた部屋の探索へと戻っていった。

僕はそっと息を吐いた。どうやら有馬さんの顔を知らないらしい。

有馬さんは自分の倒した缶を立てると、さっき男の子が立っていた場所に立ち、振り返って小石を投げた。小石は缶に当たらなかった。有馬さんは苦笑して、その場を立ち去った。

「ありました」

太く潰れた声に僕は振り返った。麻のスーツが棚の中から黒いバッグを取り出し、その口を広げて中を眼鏡に見せていた。僕のほうからはその中身を見ることはできなかった。

「隠してもいないんですか」

呆れたように眼鏡が言って、バッグと棚を見比べた。

「戻しておきなさい」

眼鏡が言った。不服そうな顔をした麻のスーツを眼鏡は冷たく見返した。

「繰り返しましょうか？」

麻のスーツがバッグを戻して、棚を閉めた。

その間に、「森のくまさん」のメロディーが鳴り、眼鏡がスーツの内ポケットから携帯を取り出した。

「あの、いや、細かいことを言うようで申し訳ないんですけれど」

時給をもらっている身として、それくらいはする義務があるだろうと思い、細心の注意を払いながら僕は口を開いた。

「一応、病院なものですから、携帯電話のご使用は、できればご遠慮頂きたいんですが」

僕が言う間に、眼鏡の会話は終わっていた。

「出直しましょう。有馬さんだけに構っているわけにもいきません」

携帯電話をしまいながら眼鏡が言い、麻のスーツが頷いた。二人が促すように僕を見たので、僕も二人と一緒に病室を出た。病室を出ると、二人は最初から僕などそこにはいなかったかのように、何の声もかけずに廊下を歩いていってしまった。

しばらく考えてから、上田さんの病室へ向かう途中だったことを思い出し、僕はカートを押して歩き始めた。

上田さんは今日も一人だった。退屈そうに一人で雑誌をめくっていた。上田さんの向かいのベッドの患者には三人の見舞い客がきていて、何やら喋りながら楽しげに笑っていた。僕はカートを廊下に残し、紙袋だけを持って病室に入った。上田さんが気づいて、微笑んだ。ベッドの脇に椅子を探したのだが、見当たらなかった。

「あ、ごめん」

僕の視線に気づいた上田さんがそっと向かいのベッドを指した。三人の見舞い客がそれぞれ椅子に座っていた。本来、それぞれのベッドには一つずつしか椅子がつけられていないはずだから、たぶんその一つが上田さんのものなのだろう。

ちょっと椅子をお借りしていいかしら？

そう言った見舞い客に、もちろん、悪意なんてなかっただろう。けれど、どうぞ、と微笑んで椅子を差し出す上田さんの心中を計ると、僕はやり切れなくなった。

「これ」と僕は立ったまま紙袋を差し出しながら言った。「頼まれたものです」

「ああ、ありがとう」

「男の人がいました。髪の短くて、目つきの」

悪い、と言いかけて、危うく僕は言葉をすりかえた。

「しっかりした」

「目つきの、しっかりした？」と上田さんは笑った。

「心配してましたよ。上田さんのこと。すごく」

「そう」

「よろしく伝えてくれって言ってました」

「うん」

上田さんの表情に変化はなかった。彼の言うように上田さんの待ち人は彼ではないようだった。中をちらりと覗き込んだだけで、上田さんはそのまま紙袋を僕に押しつけた。

「適当に処分しといてくれる？　サンダルとか、結構高いやつだったから、サイズの合う人がいたらあげちゃっていいよ」

「はあ」と僕は頷いた。

大学の同級生の顔が何人か浮かんだが、何度か使われたサンダルをプレゼントできるほど親しい女の子はいなかった。森野の顔も浮かぶには浮かんだが、その華奢《きゃしゃ》なサンダルは森野の逞しい足にはどうにも似合いそうになかった。

「ねえ、もう一個バイトしない？」

紙袋を覗いていた僕に上田さんが言った。

「額と内容によりますけど」

上田さんはベッドサイドのワゴンの引き出しから茶色い封筒を取り出した。受け取った手触りで、中身は想像できた。

「五十？」

向かいのベッドを気にして、僕は小声で聞いた。

「八十」とつまらなそうに上田さんは答えた。

八十万の札束。

「昨日、検査に出ている間にそこに置かれてた」

上田さんはベッドサイドのワゴンをしゃくって言った。

「誰からです？」

「昔の男」

歌詞の一節でも歌うように上田さんは言って、開けたままだった引き出しの中から紙切れを一枚取り出した。

頑張ってください。秋原雄一。

「どいつもこいつも頑張れ頑張れってうるさいよ」と上田さんは笑った。

「すみません」と僕も苦笑した。

「前にね、店で働き出す前だけど、勤めてた会社の上司。これでも丸の内のＯＬだったのよ。三年で辞めちゃったけどさ。そいつにお金、返してきて欲しいの」

お金、という言葉に向かいのベッドの患者と三人の見舞い客が聞き耳を立てたのは雰囲気で知れた。僕は一層声を落とした。

「でも、何のお金です？　どうして、こんな大金を」

「店にたまたま会社のやつがきたことがあったの。そいつ、別の子が目当てで、最近もしょっちゅう店にきてたから。店の子の誰かがそいつに喋って、そいつから私の入院のことを聞いたんじゃないのかな」

「つまり、お見舞い？」

「そんなきれいな話じゃないよ。手切れ金かなんかのつもりでしょ。とっくに切れてんのにね」

「はあ」

それでもまだ事情を飲み込めずにいた僕に上田さんは続けた。

「結婚してんのよ、そいつ。子供もいるし。不倫だったの」

聞き耳を立てている向かいの患者と見舞い客たちにわざわざ聞かせようとでもするかのような声だった。

「だから、もしゴタゴタ騒がれたらってビビッたんじゃないかな。こっちには騒ぐ気なんてないのにさ。付き合ってたときから、臆病なやつだったから。そのままもらっちゃってもいいんだけど、何か馬鹿にされてるようだしさ。だから突っ返してきて欲しいの。アカの他人のあんたから、こんなのもらう謂《いわ》れはないって」

「相手が受け取らなかったら？」

「無理やりにでも受け取らせてって頼んでるんだけど？」

「無理やりにでも受け取らなかったら？」

上田さんはしばらく考えて、僕に手招きをした。ベッドに寝たままの上田さんにかがみ込むようにして僕が体を寄せると、上田さんは僕の胸のポケットからペンを抜き、僕の手から札束の入った封筒を取って、そこに『お祝い』と書いた。

「これでいいでしょ」

封筒を僕に返して、上田さんは言った。

「お祝い？」

「下の子が今年、中学に上がる年だったはずだから、その入学祝い。アカの他人のあいつが八十万のお見舞いを渡す謂れがあるのなら、アカの他人の私が八十万の入学祝いを渡す謂れもある。でしょ？」

「まあ、そうなりますか」

「いくらでやってくれる？」

気は進まなかったが、上田さんは断られることなんてまったく考えていないようだった。

「丸の内なら二千三百円もらいましょうか」と僕はため息をついて言った。


その秋原さんというのが、上田さんの待ち人なのだろうか。

そんなこと無理なのはわかっているけど……

電話口にそう言っていた上田さんを思い出した。確かに、不倫相手なら、そう簡単に会うわけにもいかないだろう。けれど、それにしては、秋原さんを語る上田さんの口調は冷め過ぎていた。そういえば、紙袋には何十枚もの名刺が入っている。待ち人はその中にいる可能性だってある。

階段にモップをかけながら、僕はぼんやりとそんなことを考えていた。人の気配にふと見上げると、小さな女の子が階段の上に置いたカートを覗き込んでいた。

「ええと」と僕は下から声をかけた。「何？」

女の子は慌ててカートから手を引くと、僕を見た。

「あの」

「うん？」

「これ」

「どれ？」

「鏡」

「鏡？」

女の子は意を決したようにカートの上に載せていた紙袋に手を突っ込むと、上田さんの黒い手鏡を引っ張り出した。

「ああ。それ。欲しかったら、あげるよ」

女の子の顔がぱっと輝いた。

「あ、そうだ。もしよかったら」

僕はモップをその場に残して階段を上がり、紙袋の中からポーチを引っ張り出した。

「お化粧もしてみる？」

「お化粧？」と女の子は聞き返した。

「あ、うん。まだちょっと早いだろうけど、こういうのは早いに越したことはない。たぶん、女の子が思うより、男の子はずっと単純なんだ。今から練習しておけば、いざってときにライバルにぐっと差をつけられる」

女の子はふるふると首を振った。

「あ、いらない？　そうだよね」

「お願い事するの」

鏡を大事そうに胸に抱えて女の子は言った。

「お願い事？」と僕は聞き返した。

女の子はそっと周囲をうかがい、誰もいないことを確認してから僕に手招きした。僕は腰を下ろして、彼女の顔に自分の顔を近づけた。

「内緒よ」

「うん。内緒」

「あのね、鏡を見て、なりたい自分を思い浮かべてね、楽しいことを三つ考えるの。今日はお天気がとってもいいとか、今日の晩御飯はロールキャベツだよとか、今、目の前にはとってもおいしいケーキがあるのとか」

「うん」

女の子はそこで咳をした。とても子供の喉から出ているとは思えない、老人のような嫌な咳だった。ごくんと唾を飲み込んでから女の子は続けた。

「それでね、鏡の中のミーコちゃんに聞くの。代わってあげようかって。そうするとね、鏡の中のミーコちゃんがうんて頷くの。そしたら、ミーコちゃんと鏡の中のミーコちゃんが入れ代わるの。鏡の中のミーコちゃんはね、なりたいミーコちゃんだから、病気じゃないの。だから、ミーコちゃんの病気が治るの」

無責任な神様に当てもなく祈るよりは、効き目がありそうだった。

「それはいいことを聞いたな」と僕は言った。「今度、試してみるよ」

「内緒よ」とミーコちゃんはまた言った。

「うん。内緒」と僕もまた頷いた。

ミーコちゃんは鏡を胸に抱えたまま駆けていった。

階段の掃除を終え、トイレに入り、僕はつくづくと鏡を眺めてみた。なりたい自分がそこにいる自分でないことくらいはわかったけれど、それではいったいどんな自分がなりたい自分なのか、うまく思い浮かべることができなかった。仮に思い浮かべられたとしたところで、彼をこちらの世界に誘惑できるほど楽しいことを三つも思い浮かべられそうになかった。

3

改めて考えてみるならば、それはやっぱり異常な光景だった。暑さに揺らいで見えるアスファルトの道の上に、きっちりとネクタイを締め、上着まで着こんだ大勢の人たちが行き交っていた。礼儀も建前もあって、世の中はつつがなく回っていくのだというその理屈はわからないでもないが、汗だくの背広姿を前にするのと、涼しげなTシャツ姿を前にするのと、相手にとってどちらが礼儀にかなっているものか、そんな意地を張らずに、一度、みんなで考えてみてもいいのではないだろうか。もっとも、そんなことを考えること自体、就職を諦めた大学四年生のひがみなのかもしれない。

上田さんが以前に勤めていたというのは、かなり大手の建設会社だった。僕は巨大なビルの一階にある受付で秋原さんを呼び出してもらった。内線電話に出た秋原さんは、上田さんからの使いだと僕が言うと、一瞬考えてから、向かいの喫茶店で待つように告げた。

小一時間ほど待たされたころ、明るいグレーの背広を着た男が店内に入ってきた。どこといって特徴のない男だった。中肉中背。美男でもないし、不細工でもない。切れるようにも見えないし、鈍いようにも見えない。一言で表現しろと言われれば、冴えない中年、とでも呼ぶしかないだろう。彼には悪いが、上田さんとは釣り合わない気がした。対等な恋人というのならまだしも、上田さんを愛人にしていたくらいの男だ。いけ好かないくらい洒落た中年だろう。そう思って僕は視線を外したのだが、ぐるりと店内を見渡した彼は、一人きりでアイスコーヒーをすすっていた僕の上に視線を止めた。まさかと思いながらも僕は立ち上がった。

「秋原さんですか？」

彼が頷いて僕のところへやってきた。

「お忙しいところをすみません」と僕は言った。

「いやあ」

笑顔で答えながらも、その目は油断なく僕の様子をうかがっていた。近くで見てみても、僕の抱いた印象が変わることはなかった。その年相応の渋さも包容力も感じられなかったし、かといって母性をくすぐるような可愛らしさもだらしなさもなかった。どこにでもいる中年の会社員だった。

「あ、すぐ出るから」

やってきたウェイトレスに言ってから、秋原さんは言い訳のように僕に言った。

「またすぐに戻らなきゃならないんだ。悪いけど」

「いえ。すぐにすみます」

僕は上田さんから預かった封筒を取り出して、テーブルの上に置いた。

「何?」と秋原さんは言った。

「お祝いです。書いてありますけど」

「あ、うん。でも、お祝いって」

「下のお子さんが今年の春に中学に入ったはずだと聞いていますけど」

「うん。そうだけど、でも」

「だから、その入学祝いだそうです。受け取ってください。ここで長い間押し問答するほどのバイト代は僕ももらっていないんです。この店も思ったより高いし。一番安いアイスコーヒーだって、こんな値段だとは思いませんでした。そうでなくたって、足が出そうなんです」

「え？　何？　バイト代？」

「とにかく、お願いします」

僕は頭を下げた。秋原さんは煮え切らなかった。あ、うん、と言ったきり、封筒をしまうでもなく、押し返すでもなく、手の中でもてあそんでいた。やがて秋原さんはちらりと上目遣いに僕を見て、言った。

「早苗はどうしてる？」

「どうしてるも何も、入院してます」

「あ、うん。それはわかってるんだけど。だから、つまり、元気かな？」

秋原さんは僕が答える前に自分で首を振った。

「元気ってことはないよな。入院しているんだもんな」

「まだ未練があるわけですか？」

気づかぬうちに冷ややかな口調になっていた。それで僕が大方の事情を知っていることを察したのだろう。秋原さんは開き直ったように苦笑した。

「いや、未練があるわけじゃないんだ。ただ、気になっちゃってね」

「お付き合いは長かったんですか？」

「二年くらいだったかな。入社してすぐ、私の下についたんだ。おっちょこちょいな子だったから、どうにも目が離せなくて。彼女のミスの尻拭いをしたりしている間に、同情したわけでもないんだけど、まあ、そういうことになってしまって」

その口ぶりからするなら、二人が付き合っているときには秋原さんのほうが優位な立場だったようだ。男と女はわからない。

「会社を辞めるって聞いたときには、てっきり誰かと結婚するのかと思ったんだよ。家庭に入れば、落ちつきそうな子だから。いい奥さんになりそうなっていうか。まさか水商売に入っているとはね。たまたま会社のやつがその店に行ったらしいんだ。会社でも、みんな、まさかって驚いてたよ」

秋原さんがしているのは無責任な昔話で、それはだから、秋原さんにとって上田さんは昔の女でしかないということだ。上田さんだって、秋原さんを昔の男と言っていた。けれどそれでは秋原さんの行動が腑に落ちない。

「返しておいて、今更ですけど」と、返したことを既成事実にするため、そこに少し力を置いて僕は言った。「八十万というのは、いくらなんだって多過ぎませんか？」

「ああ」と言った秋原さんは表情を曇らせた。「昔さ、おろしてるんだよ。俺の子供。だから今回の病気も気になっちゃって。あのときおろしたせいじゃないかとか」

不倫して、堕胎して、癌になった。そこから生まれた罪悪感の料金が八十万ということか。大概のものには値段がつけられるし、それは何も秋原さんのせいじゃない。罪悪感に八十万もの値段をつけた秋原さんは、むしろ善人と呼んだっていいのかもしれない。そこに善意を感じられないのはきっと僕の心が狭いせいで、それももちろん、秋原さんのせいじゃない。

「関係ないでしょう、たぶん」と僕は言った。

「そうかな？　でも、乳癌って、一種の婦人病だろ？　そういうのって、ほら、女性ホルモンのバランスがどうのこうのって、詳しいことはわからないけど、妊娠とか、堕胎とか、関係ありそうじゃないか」

「関係ないですよ、それも含めて」と僕は言った。

「それも含めて？」と秋原さんが聞き返した。

「最近、上田さんから秋原さんに電話はありましたか？」

「ないけど？」

「留守電とかにも入ってませんでした？」

「いいや」

「そうですよね」と僕は言った。「それじゃ、やっぱり関係ないです。お金、確かにお返ししましたよ」

僕は席を立った。

それまでだって十分に暑い夏だったが、八月に入ると、それまでの暑さが懐かしく思えるほどの陽気が続いた。いつも人影が疎《まば》らな商店街ではあったが、昼間には人を見かけることさえ珍しくなった。シャッターを開けてはいるのだから、どの店にだって商売をする気はあるのだろう。それでも人けのない道を歩いていると、照りつける太陽の眩しさに、商店街そのものがやる気をなくしているみたいに見えた。アスファルトに焼きつけられる自分の影が気の毒で、僕は店の庇《ひさし》の下を歩いた。覗き込んだどの店にも、客はおろか、店番の姿すら見かけることはできなかった。みんなクーラーのきいた奥に引っ込んで、アイスだかかき氷だかを食べているのだろう。僕だって許されるものなら、きっとそうしている。

僕が通りかかったときに、ちょうど『森野葬儀店』と書かれたすりガラスの戸が開いた。表の眩しさに一瞬出ることを躊躇した森野は、一度空を睨みつけてから、仕方なさそうに店から一歩出た。スカートをはいている森野を見たのは高校のとき以来だった。ハンドバッグを提げている森野を見たのは生まれて初めてだった。僕を見つけると、森野はいつもの調子でぼやいた。

「まったく、馬鹿みたいにあちいな」

「お出かけ？」と僕は聞いた。

僕の訝しげな視線に気づいたのだろう。自分の格好を自分で眺めて、森野は苦笑した。

「ああ、業界の寄り合いでね。お前は？」

「バイト」

「そっか」

それじゃ行ってくるよ。

森野は店の中に向かって声をかけ、すりガラスの戸を閉めた。中には、竹井《たけい》さんという店で一番古い従業員がいた。僕が物心ついたときには、竹井さんはすでに店にいた。もう五十に手が届いているはずだが、その風貌は昔とあまり変わらない。若々しいのではなく、昔から年齢がよくわからない人なのだ。表情に乏しく、冗談もお悔やみも、同じ表情で口にする。ひょろりと高い背を、いつも少しだけ申し訳なさそうにかがめている。義理人情に厚い人には到底見えないが、竹井さんは森野の両親が亡くなったあとも、店をやめることなく、他の従業員をまとめ、森野を支えた。竹井さんがいなければ、さすがに森野だって店を続けることはできなかったはずだ。

僕に気づいた竹井さんにすりガラス越しに会釈を返すと、僕は森野と肩を並べて、商店街を駅へと歩き始めた。普段なら金物屋の店先にしつらえられた木の長椅子に座って将棋をしている魚屋のご隠居と金物屋の主人の姿も、今日は見受けられなかった。いつもなら乾物屋の中を物欲しそうに眺めている猫たちも、今日は一匹もいなかった。

「何か喋れよ。黙って歩いていると暑いから」と森野が言った。

「どうしても会いたいけど、会えない人って誰？」

首筋に滲んだ汗をぬぐいながらしばらく考え、僕は聞いてみた。

「何だ、それ？　なぞなぞか？」

森野が横目で僕を見た。

「こんな暑い日になぞなぞなんてしない。単純な質問。どうしても会いたいけど、会えない人。あるいは会えないけれど、どうしても会いたい人」

しばらく空を眺めてから、森野は言った。

「こんだけ暑い日にひねった答えはできないぞ」

「いいよ」

「私の場合だったらそれは、親だな」

「ああ」と僕は頷いた。

「まあ、会えたからって、何するわけでもないけどさ」

「うん」

「こんな日には、暑い暑いって言いながら、お互い団扇《うちわ》であおぎ合ったりしてさ」

「うん」

「三人でじゃんけんして、負けた人がアイスを買いに走ったりさ」

「うん」

僕らはまたしばらく黙って歩いた。ほんのわずかな風をつかまえて、蕎麦屋の軒先に下がっていた風鈴が嬉しそうにちりんと鳴った。

「おじさんとおばさん、元気か？」と森野が言った。

「まあね。うちはそれだけが取り柄だから」

「うちだって、それだけが取り柄だったよ」

「ああ、うん」

「あんま心配かけるなよな」

「うん」

「お前は？」

「うん？」

「だから、会いたいけど、会えない人」

「誰かな」

しばらく考え、僕は首を振った。

「誰も浮かばないや」

「こんだけ暑いとな」

「うん」

商店街を抜けて駅前までくると、さすがに人の姿が目立ち始めた。こんな日に表にいなければならないお互いの不幸を慰め合うように、行き交う人たちの姿は普段よりどこか優しげに見えた。

改札を抜けると、それじゃ、と声をかけ、僕らは上りと下りのホームに別れた。見慣れない格好をしているせいかもしれない。線路を挟んだ向かいのホームに立つ森野は、知らない人みたいだった。上りの電車がやってきて、知らない人みたいに見える森野を知らないところへと運んでいった。

電話の前に立つ上田さんがいた。あまり体調が良くないようだった。暑さが応えているのかもしれない。顔色が良くなかった。聞こえてくる言葉はやはり会話ではないようだった。上田さんが一方的に喋っていた。

「ちょっと弱気になってます。馬鹿みたいに暑いし、食事はまずいし。このまま死んじゃったら、この世に未練なくいけそうです。あの世のほうがもうちょっと過ごしやすそう」

上田さんは小さく笑った。

「私の伝言、聞いてくれてる？　あなたも大変だろうけど、頑張ってね。頑張ってね、って、他人事みたいで嫌な言い方だけど、でも、頑張ってとしか言い様がないよね。私があなたに手を貸せるはずもないし。私も一人で頑張るから、あなたも一人で頑張るんだよ」

病気、と僕はふと思い当たった。上田さんの待ち人も、やっぱり上田さんと同じように入院しているのかもしれない。だったら、電話が毎回留守電なのも、会おうにも会えないというのも、納得できる。

「また電話します」

上田さんが電話を切った。そのまま振り返り、僕を見つけて近づいてきた。その足がよろけた。

「大丈夫ですか？」

倒れ込んできた上田さんの脇に僕は慌てて手を入れた。

「ごめん。ちょっと眩暈《めまい》がして」

上田さんが僕の腕の中で一つ深呼吸をした。

「とにかく座りましょう」

僕は手近にあった長椅子に上田さんを座らせた。

「何か、冷たいものでも？」

大丈夫、というように上田さんは手を振った。

「病室に戻るわ。送ってって」

僕はカートをその場に残して、上田さんの手を取るようにして歩き出した。二階までの階段を上るのも辛そうだった。

「ねえ」

途中の踊り場で一休みするように足を止めると、上田さんは言った。

「もう一回、バイトしない？」

「今度は何です？」

上田さんは寄りかかっていた手すりから体を離して、また階段を上り始めた。上田さんが倒れたらいつでも手を出せるように一段遅らせて僕も階段を上った。

「病院を抜け出して、明日、一日、私とデートして欲しいの。いくら？」

意味を計りかねた僕の顔を見て、上田さんは笑った。

「ここのとこ、体、良くないのよ。薬の副作用なのか何なのか知らないけど、だるいし、吐き気もするし、眩暈はひどいし」

「じゃ、なおさら」

言いかけた僕を上田さんは遮った。

「だから、今じゃなきゃ駄目なの。これから先、体力はどんどん落ちていく。再手術ってことになれば、もう二度と出られないかもしれない。だから」

「駄目ですね」と僕は言った。「医者の許可もなしにそんなことして、上田さんはまさか病院を追い出されたりしないでしょうけど、僕はクビです」

「十万出すよ」

「いくら出されたって駄目です」

断固として言った僕の顔を見て、上田さんは力なく笑った。

「やっぱ、いい人じゃないわ。君ってば」

上田さんの病室まで辿りついた。上田さんは崩れるようにしてベッドに倒れこんだ。

「僕は連れ出せませんけど、連れ出してくれる誰かを連れてくることくらいならできます」

目を覆うようにしていた腕を上げて、上田さんは僕を見た。

「誰か指名してください。力ずくでも、騙してでも、土下座してでも必ず連れてきますから」

仮にその人が入院しているのだとしても、よほど症状が悪くない限り、上田さんを連れ出すよりは、その人を上田さんのもとに連れてくるほうが良さそうだと思い、僕はそう言った。けれども、上田さんは首を振った。

「そんな人がいるなら、最初からそっちに頼んでるよ。そういう人が誰もいないって、ねえ、それくらいわからない？　お見舞いにきてくれる人もいないって、知ってるでしょ？」

「いないはずはないでしょう」

「いないのよ」

上田さんは叫ぶように言った。

だって、いつも電話している人が、と言いかけた僕は、横を向いて口を真一文字に結んだ上田さんの顔にそれ以上を言えなくなった。相手方も入院しているというのは、僕の考え過ぎだったのかもしれない。上田さんはただ、きて欲しい誰かがこないという現実より、誰もきて欲しい人なんていないという現実を選んだだけなのかもしれない。

「五千円」と僕は言った。

上田さんが僕に視線を戻した。

「バイト、休まなきゃいけないんで。四時間分の時給プラス休みを取るときに事務員から言われる嫌味を聞く代金。五千円。どうです？」

上田さんの口もとが緩んだ。

「やっぱいい人だわ。君ってば」

上田さんはサイドワゴンの中を探ると、鍵を取り出した。

「これ」とその鍵を摘んで上田さんは言った。「私のマンションの鍵。玄関を入ってすぐ右の靴箱の上に小物入れがあって、そこに車のキーがあるから。免許、持ってるよね？」

「一応」

「マンションの地下の駐車場にあるから。黒いスカイライン。それ、乗ってきて。ドライブしよ」

僕はその鍵を受け取った。

4

小さな旅行鞄を体で隠すようにしながら、上田さんはパジャマ姿のまま病院の正門を出てきた。僕が合図するまでもなく、道の脇に停めていた車をすぐに見つけて助手席に乗り込んできた。

「誰かに見られませんでした？」

「見られたけど、ちょっと中庭を散歩するって言っといた。夕食までに戻れば、ばれないでしょ」

午後一時過ぎ。夕食までには四時間ほどしかない。

「どこへ行きます？」

「ナビするから。取り敢えず出して」

僕は異常に重いクラッチを踏んでギアーを入れると、車を流れに乗せた。

「このまましばらく真っ直ぐね」

上田さんはそう言って、旅行鞄から何かを取り出した。前のトラックとの距離を保ちながら横目で見ると、丸められたワンピースらしかった。

「あの、まさか」と僕は言った。

「ちゃんと前、向いててよ」

上田さんは僕が期待した通りのことを僕が期待したのとは違う方法でやった。パジャマを着たままワンピースを頭からかぶり、背中のファスナーを上げないまま、服の中で両手を動かして、上田さんは器用にパジャマの上を脱いだ。裾からパジャマの下も出てきた。

「小学校のときから不思議だったんですけど」と僕は言った。「女の子は、いったいいつごろその特殊技術を習得するんです？」

「見せることに値段がつくって気づいたころからよ」

それが本当だとするなら、小学校のころから男の子と女の子との間にはものすごい差がついていることになる。ひょっとしたら男の子は永遠に女の子に追いつけたりなんてしないのかもしれない。

「ファスナー上げて」

赤信号で上田さんが言い、僕は背中のファスナーを上げた。太いベルトを腰に回し、上田さんは嬉しそうに言った。

「あ、ちょっと痩せたかも」

パジャマを着ているときにはさほどは感じなかったが、こうして再入院のときと同じ格好をしてみると、上田さんがそのころよりもかなり痩せていることがわかった。病気のせいかもしれないし、今年の夏の異常な暑さのせいかもしれない。どちらにしたところで、いい傾向ではない。

「気のせいでしょう」と僕は言った。「たいがいの成果は努力の次にやってくるもんです」

「そう？　やっぱ駄目か」

病院にこない誰かを自分から訪ねる気になったのかもしれないという僕の期待は裏切られた。上田さんの指示通りに車を走らせて、辿りついたのは新宿のデパートの駐車場だった。

「買い物。付き合って」

僕の思惑などよそに、上田さんはデパートに入ると、勝手知ったる様子で婦人服売り場のフロアに向かった。

不況のせいなのか、単に平日の昼間だからか、フロアに客の姿は疎《まば》らだった。上田さんが入るのは、その疎らな客も寄りつかないような高そうな店ばかりだった。店員たちは、朝からこのときまであなただけを待っていましたとでもいうような満面の笑みで上田さんを迎えた。上田さんはプラスチックのカードでその笑みに応えた。化かし合うことにも疲れたキツネくんとタヌキさんみたいだった。今年の秋に流行するという色のスーツと靴。それに合わせるためのバッグ。食費だけに換算するなら、我が家の一年分は優に越えそうな額を一時間もかからずに上田さんは使ってしまった。

「ねえ、『ゾンビ』って、見たことある？」

階を変え、また客のいないアクセサリーショップに入ると、小さな鏡に向かって銀細工のついたピアスを試しながら上田さんは言った。

「『ゾンビ』ですか？　映画の？　いえ。ホラーは好きじゃないんで」

両手に紙袋を提げたまま、僕は鏡の中の上田さんに言った。

「生ける屍《しかばね》になって意思をなくした人間たちがね、それでも吸い寄せられるようにデパートに集まってくるのよ」

上田さんは次に小さな緑色の石のピアスを試した。

「ええと、それが？」

「何となくね、思い出した」

どう？

そう聞くように、上田さんが自分の耳たぶを指で弾いた。

「似合ってます」

「これ、頂戴」

脇に控えていた店員に自分の耳を指して言うと、代金をまたカードで支払い、上田さんはそのピアスをしたまま店を出た。

「移動しよう」

「体、大丈夫ですか？」

「大丈夫よ。せっかくのデートだもの」

そう答えた上田さんの顔色はよくなかったが、どうせ車に乗ったときから顔色はよくなかった。上田さんが大丈夫だと言うのならその言葉を信じるしかない。僕は後部座席に紙袋を詰め込み、車を駐車場から出した。

上田さんの指示通りに環状線を抜けて、国道を走った。燻《いぶ》されたような色のガラスのせいで眩しくはなかったが、腕にはちりちりとした陽射しを感じた。多摩川をしばらく川沿いに走り、一度左に折れてから、上田さんは車を停めるよう指示した。ずらりと違法駐車された車の列に隙間を見つけて、僕は車を滑り込ませた。

「大学、ですか?」

大きな正門を眺めて、僕は聞いた。

「そう。昔、私が通ってた大学」

上田さんは車を降りると、歩道の縁石に足を乗せ、車に寄りかかった。僕も車を降り、上田さんと並んで立った。学生たちが出入りする正門を僕らはただ眺めていた。背後からは車の走る音が、頭上の街路樹からは蟬の鳴き声が聞こえてきた。上田さんにキャンパスの中に入るつもりはなさそうだった。正門から誰かが出てくるのを待っているような気配もなかった。

「十八のとき、九州のすっごい田舎町から東京に出てきたの。この学校に通うために」

不意に上田さんが言った。

「嬉しかったな。私んち、本当にすっごい田舎だったから。東京に出てこられるって、それだけで嬉しかった」

「そうですか」

「でも、根が田舎ものだからさ。何か周りについていけなくて。野暮ったい大学生やってたな。結局、四年間、彼氏もできなかった」

校門から一人の女子学生が出てきた。仲間たちと騒ぎながら出入りする学生の中で、彼女は一人、ブックバンドを胸に抱えて、少しうつむき加減で足早に歩いていった。

「そうそう。あんな感じ」と上田さんは笑った。「会社に入って、初めて男の人と付き合った」

「秋原さん？」

「そう。あれが私の初めての男」と上田さんは僕に笑いかけた。「冴えないやつだったでしょ？」

「そんなことはないです」

「いいよ。本人、いないんだからさ。正直に言いなよ」

少し考えてみたが適当な表現は浮かばず、僕は陳腐な言葉を借りた。

「誠実そうな人だと思いました」

セージツねえ。

上田さんは笑った。

「誠実な男が、女に子供をおろさせるかしら」

ちらりと僕の表情をうかがって、上田さんは察したらしい。

「ああ。あいつから聞いた？」

「ええ。詳しくは聞いてないですけど」

「ま、こういうことって、男の責任にされちゃうけどさ。ましてや不倫だったしね。でも、どっちかっていうと、私が嫌がったの。妊娠したってわかったときにね、仮にあいつが離婚して、私と結婚したとしたらどうなるんだろうって考えてみたのね。そうしたら、あいつの食事作って、あいつのパンツ洗っている自分の姿が、ありありと浮かんじゃったのよ。一週間、吐き続けた。食べたものをすぐに戻しちゃうの。こりゃ駄目だと思って、子供をおろして、あいつと別れて、すぐに会社を辞めた。もっと派手に、パーッとね、生きてやろうと思ったの。生まれ変わったつもりで。それで、あの店に勤めた。化粧の仕方を勉強して、流行りの服と髪形を教わって、まあ、驚いたね。これが自分かって。男がわらわらと寄ってきてさ。今までの自分は何だったんだろうって思うくらい。生まれて初めて、モテたのよ、私」

美人と呼んでは語弊があるにせよ、上田さんにはどこかしら男を惹きつける雰囲気があった。今は痩せてしまったが、もともとの丸みを帯びた体には、男の触感をくすぐるような魅力があった。流行りの化粧と服装で武装すれば、それはモテるだろう。それが色気を売り物にするような場所ならなおさらだ。

「指名なんかもばんばん取れちゃってさ。ナンバーワンにはなれなかったけど、結構いい線いってたのよ。お金も、会社に勤めていたときの給料が馬鹿馬鹿しくなるくらいいっぱい入ってきたし」

「そうでしょうね」

「悪い人生だったとは思わない」と上田さんは言った。「後悔がまったくないとは言わないけれど、それでも、まあまあ、よくやったと思うよ、私」

上田さんは空を見上げて笑った。

「この程度の顔と頭でさ。よく頑張ったよ。クローゼットとパスポートを突き合わせれば、そこらの人には負けないよ。服も、バッグもいっぱい持ってるし、海外なんてパスポートに判子押し切れなくなるくらいいっぱい行ったし」

そう、よくやったよ、私。

車のガラス越しに後部座席の紙袋を眺めながら上田さんは呟いた。呟きは続いた。

「でも、それがかけがえのないものに思えないのは、どうしてだろう？」

僕に答えられるわけもなかった。

「どこかで手を打てばよかった？　秋原じゃなくたって、言い寄ってきた男の中で、適当なやつを見繕って、そいつと結婚して、ちゃんと子供でも産んでいればこんな風には思わなかったのかな？」

「さあ」としか、僕には言いようがなかった。「どうなんでしょうね」

「ほら、よく言うじゃない。死刑の決まった死刑囚がさ、死ぬってわかった途端に世界が一変して瑞々しく感じられて、春のツバメとか冬の粉雪とかに涙しながら、ああ、どうして私は今までこんなにも素晴らしい世界に生きていたことに気づかなかったんだろう、とか、そういう話」

「ええ」

「そういうの、まったくないのよね。今までだって今だって、世界にはうんざりしてるし、世の中にはそりゃ、素晴らしいものもあるんだろうし、素晴らしい人もいるんだろうけど、それよりはムカツクものとか人とかのほうが気になっちゃうし。女物の靴はどれもこれも纏《てん》足《そく》強制器みたいだし、ブラのワイヤーは年々きつくなるし、悪酔いした酔っ払いに限って徒党を組もうとするし」

上田さんはちらりと街路樹を見上げた。

「蟬はただでさえ暑い夏をもっと暑苦しくするし」

それが聞こえたかのように蟬がぴたりと鳴くのをやめ、僕と上田さんは笑みを交わした。

「死ぬのは嫌だよ」と上田さんはさばさばした口調で言った。「でも、どうしても嫌っていうほどでもないんだな、これが。死ぬかもしれないって思ったときにね、もちろん、悲しかったよ。怖かった。何で私だけって思った。みんなぴんぴん生きてるのに、八十にも九十にもなって、生きている人もいるのに、何で私だけが三十で死ななきゃいけないのよって。でもね、それじゃ、どうしても生き延びたいかって言われたら、結構、そうでもないような気がするのよ。結局さ、生き延びたって、また同じ人生が続くわけじゃない？　今までと同じ。年を取っていく分だけ、今までよりつまんなくなるくらいでさ」

上田さんはいったん口を噤《つぐ》み、それからため息と一緒に吐き出した。

「そういうの、絶対、間違っているとは思うの。でも、いったいどこで間違えたのか。それがわかんないのよ」

それっきり、上田さんは押し黙った。街路樹の陰になっているとはいえ、長く立っていれば健康な人でも倒れそうな暑さだった。

「行きましょう」

僕の言葉に上田さんが頷いた。

さすがに疲れた様子の上田さんに、僕は車をファミリーレストランの駐車場に入れた。病院ではそろそろ夕食の時間だったが、そのことについて上田さんは何も言わなかったし、僕も改めて言いはしなかった。病院はともかく、一般の時計からするなら夕食にはまだ早い時間の店内は閑散としていた。上田さんはぼんやりしたままオレンジジュースのグラスに挿されたストローをくわえていた。

「何か、食べますか？」と僕は聞いた。

「え？」

「パスタとかなら消化にいいでしょう。何か入れたほうがいいです」

「ああ」

上田さんはメニューを手にした。それを眺めながら呟いた。

「言わないのね」

「はい？」

「もう帰ろうって」

「せっかくのデートですから」と僕は言った。「デートを終わらせるのは女性の役目です。引き延ばすのが男の役目」

「まったく、世の中って間違ってるわよね」

メニューから顔を上げた上田さんは少し大袈裟にため息をついた。

「どうして君みたいな男がモテないかな」

「決めつけないでくださいよ」

「じゃあ、モテるの？」

「あ、こっちのうどんとかもいいかもしれませんね。夕食にパンケーキじゃ、ちょっと何だし」

「パスタでいいよ」と上田さんはくすくす笑いながら言った。「この明太子のやつ。君は？」

「それじゃ同じものを」

僕らが食事を終えるころには、店内に人が入り始めていた。上田さんは明太子のパスタを半分ほど残した。新しく頼み直したオレンジジュースを飲んでいた上田さんは、暗くなりかけた外を見て、僕に視線を戻した。

「ねえ、もう一ヶ所だけ付き合ってくれる？」

「そういうの、やめたほうがいいですよ。安い女に見られます」

「じゃあ、どうすればいいのよ」

「男が聞くのを黙って待ってればいいんですよ」

「男は、どう聞くの？」

僕は伝票を手にして、椅子から立ち上がった。

「さて、次はどこへ行きます？」


夕方の帰宅ラッシュなのか、下りの道はどこも混んでいた。多摩川を渡ってそのまま国道を下り、ようやく渋滞から解放されたころには日は完全に暮れていた。僕の視界の隅で上田さんの緑色のピアスが時折光を反射した。

国道を逸れて、細い道をいくつか曲がった。開発中の住宅街のようだった。すでに建てられた物件よりも、造成されたまま放置されている土地のほうが多い。建てられたものにもまだ人は入居していないらしく、家から明かりは漏れていなかった。ところどころに造成を免れた畑が見かけられた。上田さんは時々車を停めさせて、記憶を探るように暗くなった周囲を見回した。

「そこ、右に入ってみて」

上田さんの指示通りに造成中の区画を進むと、やがて未舗装の道になった。道はまだ造成されていない山の手前で終わっていた。間違えたのだろうと僕は車をバックしかけたのだが、上田さんは周囲を見回して、一つ頷いた。

「たぶん、あってると思うんだけど」

　上田さんは車を降りた。僕もエンジンを切り、上田さんのあとを追った。上田さんは人一人がようやく歩けるような道を見つけて、木々の間を分け入っていった。遠くにあった街灯の光もやがて届かなくなった。

「ここ、何です？」

　普通の人にならばさほどきつくない勾配だったが、さすがに上田さんには辛いのだろう。立ち止まり、呼吸を整えた上田さんの横に立って僕は聞いた。

「頑固爺さんの土地」

「はい？」

「昔、いた会社でね、ここらを売り出すことになったの。そのための土地買収をしてたんだけどね、一人だけ、頑として売らないお爺さんがいたの」

「ああ、あの建設会社にいたとき」

「そう。私がその買収を担当してた。っていったって、下っ端の使い走りだったけど。毎日のように通いつめて、どうして売ってくれないのか聞いたのよ。中々、教えてくれなかったんだけどね。あるとき、お爺さんが連れてきてくれたの。今日みたいな夏の夜でさ。暗いし、二人きりで他に人けもないし、あまりにもしつこかったから殺されて埋められちゃうんじゃないかって、結構、本気で心配したっけ」

よし、と気合を入れるように言うと、上田さんはまた歩き始めた。

「何があったんです？」

「もうじきわかるから」

上田さんは黙って歩き続けた。僕もそのあとに従った。ゆっくりとしたペースで二十分も歩いただろうか。ああ、という呟きに僕は足を止めた。月明かりに、そこだけ木々が開けているのが見えた。うるさいくらいにかえるの鳴き声がしていた。

「ここだ」

かえるの鳴き声にほとんどかき消されていたが、微かに水音が聞こえていた。

「水？」と僕は聞いた。

「地下水が出て、小さい池を作ってるの」

上田さんは何かを探すように辺りを見回しながら言った。原っぱのように見えるのは、背の高い水草に覆われているせいだろう。近づいてみると足が柔らかい土を踏んだ。手で探ってみると確かに水に触れた。

「ここが？」と僕は上田さんを振り返った。

「遅かったかな。あのときはもう少し早い時期だったっけ」

上田さんはなおも辺りに何かを探しながら呟いた。

「何です？」

「ここにくると婆さんに会えるって、そう言うのよ、そのお爺さん。もう死んじまった婆さんに会える。だからここは絶対に売らない。あんたには悪いけど諦めてくれって。私、ボケてるんだって思った。ボケてるっていうか、自分の願望と現実とを混同しちゃうくらいにはおかしくなっているんだろうって。お爺さん、私がそう思ったのがわかったんじゃないかな。見てりゃ、会えるよ。あんたにも会わせてやるって、そう言った。そしてね、本当にお婆さんに会えたのよ」

上田さんは水辺から少し離れた木の根元に腰を下ろした。僕も並んで座った。

「つまり、その頑固爺さんの死んだ連れ合いに、上田さんも会ったわけですか」

「そう。おかしいでしょう?」

「よかった」と僕は言った。「それがおかしいことくらいはわかってるんですね」

「でも、会えたのよ」

上田さんは言った。僕らはしばらく黙ってそこに座り、かえるの鳴き声に包まれていた。月明かりに照らされた水辺の風景にはどこか現実感がなかった。ここになら死者の魂が帰ることもあるかもしれないと素直にそう思えた。視界の右隅で、上田さんの緑色のピアスが月明かりを弾いた。それと同時に視界の左隅でも緑が光った。

僕は思わずそちらを見遣った。

「ああ」と上田さんがため息のような声を上げた。「ほら」

上田さんの右手が上がった。そのわずかに先の闇で緑色の光がふわりと舞った。それが何なのか、しばらく僕にはわからなかった。本当に死んだそのお婆さんの魂が形をとって現れたのかと思った。

「蛍」

その正体にようやく思い当たって、僕は言った。

「そう。蛍」と上田さんは言った。

ぼおっと点るそのはかなげな光がやけに暖かそうに見えた。思わずかざした僕の手の先を避けるように光は闇に消えた。注意して目を凝らしてみると、いつの間に集まったのか、僕らの周りの闇にぼんやりと浮かび上がるいくつもの緑の光があった。

「その中の一匹がね、そのお爺さんの肩に止まったのよ。しばらくそこで光ってから、またどこかに飛んでいった。お爺さん、にっこりして、ほらなって。うん、て、思わず頷いちゃったよ。本当にそう思えたから」

僕らはしばらく木の幹に寄りかかったまま、闇をわずかに照らす光たちを眺めていた。

「私はきっと」

寄りかかった木の幹にこつんと頭の後ろをぶつけるように預けて、上田さんは呟いた。

「蛍にはなれないな」

「どうしてです？」

上田さんは答えなかった。いつしかかえるの鳴き声はやんでいた。彼らも一緒になって蛍を眺めているのかもしれない。真っ暗な世界の中に、月と星と蛍だけがあった。その世界の有り様はとても正しいように感じられた。それを眺める僕も上田さんもかえるたちも、世界には不要なものに思えた。

「いいんですか?」

今なら答えてくれそうな気がして、僕は聞いた。

「隣にいるのが僕で」

「卑下しない、卑下しない」と上田さんは微かに笑った。「君、結構いい線いってるよ」

「そういうことじゃなくて」

「悪かったね。付き合わせちゃって」

「そういうことでもなくて。本当はいるんでしょう? 今、隣にいて欲しい人」

「正直に言えばね、誰でもよかった」

「はい?」

「誰でもよかったのよ。たまたま君がそこにいただけ。でも、君にして正解だったみたい」

「何のことです?」

「見て欲しかったのよ。私のこと。上田早苗っていう女のこと。昔はどんな学生だったのか、どんな会社へ行ってたのか、どんな男と付き合ってたのか、そのあとはどんなところで働いてたのか。ざっとでいいから、一通り見て欲しかったの」

「どうして?」

「どうしてかな。よくわからない」

光が上田さんの髪に止まった。気づかずに上田さんは続けた。

「ただ、もしこれから何年も何年も時が経って、もし今年と同じような夏がきたら、君はきっと私のことを思い出す」

「思い出さないですよ」と僕は言った。「僕はそんなに優しくない」

そうかもしれない。違うかもしれない。そんな先のことなんて僕にわかるはずもなかった。

「ねえ」と上田さんの声が柔らかに言った。「君はそれほど利口じゃない」

「蚊に食われますよ」と僕は言った。「少し眠っていい？」

「そんなこと言ってるからモテないのよ」と上田さんは僕の肩を小突いた。「もうちょっとロマンチックな大人になりなさい」

上田さんは僕の肩に頭を載せた。上田さんの髪に止まっていた蛍がまた光を放ちながら飛んでいった。

「眠るよ」

「はい」

「おやすみ」

「おやすみなさい」

次の勤務日に病院に行ってみると、上田さんは病院を出ていた。

「かなり強引に退院しちゃったのよ」

廊下で僕を捕まえたベテランの看護婦さんはそう言った。親身な看護で患者からは人気のある看護婦さんだった。

「担当の先生も、せめて精密検査の結果が出るまではこっちにいるように強く言ったんだけど、上田さん、聞かなくて。私もだいぶ粘ったんだけどね」

看護婦さんはため息をつきながら言った。怒っているわけではない。ただ虚しかったのかもしれない。それが一方的な思い入れだとしたって、善意が通じないというのは人を虚しい気持ちにさせる。

「退院して、どこへ？」

「実家の近くの病院に転院するみたい。九州のほうとか聞いたわよ。病気のこと、ずっとご両親には内緒にしてたみたいね。昨日、ご両親が血相を変えてやってきて、連れていったわ。引越しは業者に任せるとか言ってたから、もう九州に戻ってるんじゃないかな」

九州のすっごい田舎町。

「上田さんにお見舞いはありましたか？」と僕は聞いた。

「お見舞い？」

看護婦さんは首をひねった。

「さあ。私は気づかなかったけど」

「そうですか」

結局、上田さんはその人に会わずに行ってしまったのだろうか。

「あ、それでね」と看護婦さんは用件を思い出したように、白衣のポケットから鍵を二つ取り出した。「これ、神田くんがきたら渡して欲しいって。渡せばわかるからって」

一つは車のキー。もう一つはマンションの鍵だった。あの日、僕らは夜中に病院に辿りついた。車は病院の駐車場に入れておくよう、上田さんは言った。

今度、抜け出したくなったら、一人で抜け出すからさ。

まさか今の上田さんが一人で病院を抜け出せるとは思えなかったが、その可能性が残されているということに救われることだってあるのかもしれない。そう納得して、僕はタクシー代を受け取り、そのまま家に帰った。

「わかるかな？」

二つの鍵を見比べる僕の顔を見て、看護婦さんは困ったように眉を寄せた。

「渡せばわかるからって、私、それしか聞いてないんだけど」

「ええ」と頷いて、僕は鍵を受け取った。「はい。わかります」

二つの鍵でできることといえば一つしかない。あのマンションの駐車場に車を返し、キーはマンションの部屋に戻しておく。マンションの鍵をどうするのかはわからなかったが、郵便受けにでも入れておけばいいのだろう。

上田さんの部屋は都心から延びる私鉄の駅に近い高層マンションの最上階にある。ドアを開けると、こもった熱気が溢れてきた。ずらりと並んだ上田さんの靴たちを踏まないように気をつけながら、僕は車のキーを靴箱の上の小物入れに戻した。前回きたときにはキーだけを取ってそのまま出たので、そこから先へは入っていなかった。部屋の中に人の気配はなかったが、少し迷ってから僕は靴を脱いだ。ひょっとしたら上田さんはこのマンションにいったん戻ってきていて、書置きか何かを残しているかもしれないと思ったのだ。

短い廊下の左右に二つずつのドアがあった。左手の一つはベッドルーム。もう一つの小さな部屋は部屋そのものをクローゼットに使っていたようだ。たくさんの服がかかっていた。右手の二つのドアはトイレと浴室。廊下の突き当たりにあるすりガラスのドアの向こうには、かなり広いリビングルームがあった。たぶん、夫婦二人か、子供を入れた三人家族を想定して作られた部屋なのだろう。カウンターで仕切られたキッチンにある造り付けの食器棚は、一人分の食器を入れるには大き過ぎた。それでも、食器棚はたくさんの食器で埋められていた。

こもっていた熱気を逃がそうと、僕はカーテンを開いて窓を開けた。はるか下を走る首都高速が見えた。ぐるりと見回してみたけれど、目に付く範囲に手紙らしきものは置かれていなかった。奇麗に整頓された部屋は、ここを出るときの上田さんにある種の覚悟があったことを思わせた。長い留守になる。あるいは、もう戻ってこないかもしれないという思いまであったのだろうか。

「何もなし、ね」

呟いてから僕は、部屋の隅で点滅する小さなランプに目を留めた。留守番電話にメッセージが入っているサインらしかった。

立ち入り過ぎだろうか。

一瞬迷ったが、僕は再生のボタンを押した。それは上田さんがずっと待っていた誰かからのメッセージかもしれない。何かの事情があって、その人は病院へこられなかった。その言い訳が入っているのかもしれない。それが誰かさえわかれば、探し出して、上田さんが実家近くの病院に移ったことを知らせるくらいはできるはずだ。

高い電子音が鳴り、メッセージが再生され始めた。

「私です」

聞こえてきたその声に息が詰まった。電話から流れてきたのは、僕のよく知っている声だった。

「今日、検査の結果が出て、再入院ということになりました。また電話します」

私です。まだ病院です。再入院から四日経ちました……

もしもし、私です。ちょっと弱気になってます……

私です。何とか生きています。それにどんな意味があるのかわからないけど……

もしもし、私です。もしもし、私です……

もしもし、聞いてますか？　聞いてくれてますか……

当てのないメッセージたちが電話から溢れ続けた。眩暈にも似た脱力感に襲われて、僕は膝をついた。

「もしもし、神田くん？」

どれくらいのメッセージが流れたのか。声のトーンが変わった。

「わかったでしょ？　私は誰も待ってなんていなかった」

しばらく間があり、脈絡もなく上田さんはハハと笑った。

「今日、実家に戻ります。そう決めてたの。黙ってて悪かったけど、君に止められでもしたら、私、きっと泣いちゃうから。止めてくれる人が君しかいないなんて、情けなくて、きっと泣いちゃうから。君にまで止めてもらえなかったら、それはそれで泣いちゃいそうだし」

「こんなの」

届かないことなど百も承知で、それでも僕は電話の声に言い返した。

「ずるい」

「最後のお願い。もしも今年と同じような夏がきたら、そのときは私を思い出して。バイト代は出せないけど」

「思い出さないよ」と僕は言った。「絶対、思い出さない」

「思い出して」

僕の反論を見越したように電話の声は言った。

「きっとよ」

電話は切れた。メッセージはそれで全部だった。

軽い眩暈を抱えたまま、僕は立ち上がった。靴箱から溢れるほどの靴も、クローゼットに入り切らないような服も、大き過ぎる食器棚を埋める食器も、ひょっとしたら上田さんはそこに生まれる空っぽの空間を消すためだけに揃えたのかもしれない。一人で暮らすにはこの部屋は広過ぎる。

窓から見渡せる景色を僕はカーテンで覆った。そこから見える世界もまた、一人で暮らすにはあまりにも広過ぎた。

僕は上田さんのマンションを出た。照りつける陽射しに、僕は膝に手を当てて、きつく目を閉じた。前の道を走る幾多の車の音と、それに負けじと張り上げられた蟬の声があった。もしも今年と同じような夏がきたら。今年みたいに暑くて、今年みたいに蟬のうるさい夏がきたら。それは五年後かもしれないし、十年後かもしれないし、もっと先かもしれないけれど。そのとき僕は、そう、たぶん、上田さんを思い出すだろう。蘇った思い出は、そのときの僕にいったい何を訴えるのだろう？　そのときの僕は、記憶の中の上田さんにいったい何て声をかけるのだろう？

九州のすっごい田舎町。

僕は目を開けた。その方角を探して空を仰いだ。

その町にも蛍は舞っているのだろうか。そこの蛍は、疲れて眠る上田さんの髪を淡い光で飾ってくれていたりするのだろうか。

そうだったらいい。ロマンチックな大人になる第一歩として、そう信じることから始めてみようか。

やあ、上田さん。

そしてこれからずっと先、今年と同じようなやり切れないくらいの暑さの中で、僕は上田さんにそう声をかけるだろう。

僕は元気に生きています。毎年、夏には、草むらの闇の中に緑の光を探してしまいます。

そして、その中の一つが僕の肩に止まってくれるのを、息をひそめて、ずっと待っています。

THE FINAL ACT MOMENT

1

返答までにしばらくの時間があった。もう一度ノックをしようかと僕が手首を返したときに、有馬さんの声が返ってきた。

「どうぞ」

僕はドアを引き開けた。特別室には女性の見舞い客がいた。年は四十代半ばだろうか。ベッドの端に腰を下ろした有馬さんと膝を突き合わせるようにして椅子に座っていた。奇麗な人だったが、どこか生活に疲れたような雰囲気があった。着ている服も高価なもののようだが、どこかくたびれて見えた。二人の間には、僕がノックするまでに交わされていた会話の名残みたいなものが漂っていた。あまり楽しい会話ではなさそうだった。

「あ、すみません。出直します」

「いいえ。もう帰るところでしたから」

女性は椅子から立ち上がり、ドアを押さえてくれた。

「どうも」と言った僕に軽く会釈をすると、彼女は有馬さんにちらりと視線を投げた。哀れむようなその視線が有馬さんの視線と合うことはなかった。有馬さんはじっと下を向いていた。微かなため息を残して、僕が運び入れたカートと入れ違いに女性は出ていった。

「お邪魔してしまったようです。すみません」

僕が言うと、有馬さんは顔を上げた。

「いや、いいんだ」

そのあとに何かを続けようとしたが、結局、有馬さんは何も言わなかった。その女性のことを説明しようとして、やめたようだった。病院を出たところで、誰も世話をしてくれる人間がいない。以前、有馬さんはそう言っていた。だったら奥さんではないだろう。しかし、それ以上に適当なポジションも思いつかなかった。

先に紙のシートのついたワイパーで髪の毛や綿ぼこりを取り、それからきつく絞ったモップで床を拭いた。

「そういえば」

黙って作業を続けるのも気詰まりで、僕は床にモップをかけながら口を開いた。

「この仕事、今月いっぱいで辞めることになりました。お世話になりました」

僕の動かすモップの先をぼんやりと眺めていた有馬さんが顔を上げた。

「そう。こちらこそ、お世話になったね。でも、ずいぶんと急だね」

「論文を書かなければいけなくなりまして」

「論文？」

「大学の主催する交換留学生のテストを洒落で受けたら、受かったものですから。来年から留学することにしました。その前に向こうの大学に提出する論文を書かなきゃいけないんです」

「そう。それはおめでとう」

　床を拭き終わり、ざっと部屋を見回してみたが、それ以上やるべきことはなさそうだった。病室を出ていこうにも、狭い病室に有馬さんとその沈黙とを密閉することはためらわれた。

「少し、空気を入れ替えませんか？」

　思いついて、僕はそう言った。

「ああ、そうだね」

　有馬さんが頷き、僕は窓を少しだけ開けた。思いの外、冷たい風が吹き込んできた。

「すっかり涼しくなったね」

　その風は有馬さんのもとにも届いたようだ。そう呟いた有馬さんが窓の外を見遣った。見下ろす中庭の木々は、夏の青さを失った葉を落とし始めていた。手前の空は晴れていたが、ずっと遠くの空には暗い雲がかかっていた。風はそこからやってきたのかもしれない。

「まだよくわからないんだよ」

　不意に有馬さんが呟いた。

「何がです？」

「死ぬその瞬間に、自分が何を考えるのか」

有馬さんは呟いてから、首をわずかに傾けた。

「いや、何を考えるべきなのか、かな」

「ああ」と僕は頷いた。

病院の建物をかすめるようにして、スズメより少し大柄な鳥たちが群を成して飛んでいった。ムクドリだろうか。

「もう少しだけ生きていたかったたな、とか、そんなのはどうです？」

「若いんだな、君は」

そのことを羨むように言って、有馬さんは微笑んだ。なぜか辱《はずかし》められたような気がして、僕はうつむいた。

「それでいいんだよ」

僕を慰めるように有馬さんは言った。

「私だって、君の年ごろに聞かれていたら、きっとそう答えたろう。いや、今だって、そう答えるのが正しいのかもしれないな」

少し強い風が吹き込んできて、僕は窓を閉めた。もう一度部屋を見回してみたが、やっぱり僕のやるべきことは見つからなかった。見回した視線は最後に有馬さんのもとに行き着いた。有馬さんはまだ窓の外を見遣っていた。僕が何か声をかけるのを待っているようにも見えたし、僕が出ていくのを待っているようにも見えたし、いっそ僕のことなど全然気に留めていないようにも見えた。

「他に何かご用はありますか？」

僕は声をかけた。有馬さんが僕に視線を移した。

「いや。何も。論文、いいものができるといいね」

「ありがとうございます」

三番目だったようだ。僕はカートを押して、特別室を出た。


取り敢えず四分の一ほどを我慢して飲む。ポーションのミルクを三つ。砂糖は四つ。気分によっては五つでもいい。それでとても飲めないくらい煮詰まったアメリカンコーヒーは、少し間延びしたベトナムコーヒーみたいな味になる。僕はカフェテリアで自家製のベトナムコーヒーを飲みながら、テキストを片手に英英辞典をめくっていた。二本提出する論文のうち、一本くらいは今年のうちにまとめておきたかった。

「お勉強か？」

声に顔を上げると、森野が立っていた。自分から声をかけておきながら、顔は真横を向いていた。

「まあね。そっちはお仕事？」

そちらに誰かいるのだろうかと僕は森野の目線の先を追った。入院着を着た中年の男性とその奥さんらしき女性と小さな男の子がいた。以前、中庭で空き缶に石を放り投げていた男の子だった。缶が倒れたのに、まだ父親が入院していることが不満なのかもしれない。男の子はちょっとふて腐れたような顔をしていた。

「まあな。医局やら事務局やらに挨拶とか賄賂とか、色々とな」

三人は森野のことなど気にしていなかったし、森野も取り立ててその三人に興味があるわけではなさそうだった。半身になって僕の前の席に座った森野は、紅茶の入った紙コップを傾けながら、今度は厨房のおばちゃんたちを眺めた。

「どうした？」と僕は聞いた。

「どうした？」

オウム返しに言って、森野はようやく僕のほうを向いた。しばらく僕の顔を睨みつけた森野は、やがて呆れたように首を振った。

「何だよ」と僕は辞典を閉じて言った。

「何でもねえよ」と森野はそっぽを向いて言った。

僕がまたテキストに目を落として英英辞典をめくり始めると、森野が不機嫌そうに口を開いた。

「おばさんから聞いたよ」

「何を？」

僕は辞典から目を上げないまま聞いた。

「お前、留学するんだって？」

「ああ。来年の夏だから、ちょっと先のことだけど。大学の主催してる交換留学生のテストを洒落で受けたら受かったんだ。どうしようか迷ったんだけど、まあ、これも何かの縁かと思って。どうせ就職活動だってしてなかったし。あ、せっかく紹介してもらったんだけど、バイトは今月いっぱいで辞めようと思ってる。論文を書かなきゃいけないんだ。今朝方、事務のほうにも言っておいた」

「聞いてないぞ」

「うん？」

僕は目を上げた。森野は相変わらずそっぽを向いていた。

「テストを受けたのも、受かったのも、留学するって決めたのも」

「テストを受けたのは洒落だったし、受かったのと行くのを決めたのとは、ついこの間なんだ」

「つい、いつだよ」

「つい、先々週」

「つい、先々週？」と森野は言って、また首を振った。「つい、先々週？」

「何だよ」と僕は言った。

「何でもねえよ。でも、そんな金、あるのか？」

「奨学金が出る」

「いい身分だな」

「反対か？」

「別に反対じゃないよ。お前が行くって決めたなら、行けばいい。ただ」

一気に言い募ろうとしてから、その気力をなくしたように森野は言葉を切って、椅子の背もたれに身を預けた。

「ただ？」と僕は聞いた。

「どこへ逃げようと一緒じゃねえのか？　お前が折り合えないのは、この時代でも今の社会でもなくてお前自身だろ？　世界にはばたこうが、宇宙へ飛んでいこうが、お前はお前だ。そう簡単に折り合えるってもんでもないだろう」

つまらなそうに呟いた森野の顔を僕は眺めた。

「何だよ」と森野は言った。「怒ったか？」

「驚いたんだよ」と僕は言った。「ずっとそういう風に見てたのか？」

「どこか間違ってるか？」

「どこも間違ってないから驚いてるんじゃないか。こっちはそれに気づくまでに二十二年もかかったのに。知ってるなら教えてくれればよかった」

森野はまた呆れたように首を振った。僕は英英辞典を閉じ、傍らに置いていた紙コップを取った。森野のほうはすでに飲み干してしまったようだ。紙コップの縁を口にくわえて揺らしながら、森野はまた厨房のほうに目を遣った。

「ただのきっかけなんだよ」

ベトナムコーヒーを一口飲んで、僕は言った。

「内容は問題じゃない。別に何だってよかったんだ」

「そういうもんかね」

森野は紙コップをくわえたまま言った。暇な時間だからだろう。おばちゃんたちは、とても職場にいるとは思えないほどリラックスした姿勢で何やらお喋りに興じていた。

「先人たちが滅茶苦茶に傷つきながら築き上げた平和の中で」

そのおばちゃんたちを眺めながら僕は言った。

「うん？」

「魂を汚さぬように鍛えながらロマンチックな大人になる」

「何だ、そりゃ？」

「学習の結果に生まれた将来の目標」

けっと呟いて、森野は紙コップをテーブルに戻した。

「ずいぶんと遠大な目標だな」

「まあね」

「遠大過ぎて、私には何を言ってんだかわかんねえよ」

厨房のほうを向いていた僕らの背後から、誰かがやってきた。気配に振り返ると、白衣を着た五十嵐さんがいた。

「やあ」と五十嵐さんは朗らかに手を上げた。「やっと休憩が取れたんだ。まだ昼も食べてない。一緒に、いいかな？」

どう考えたってそれは森野に向けられた言葉のはずだったが、五十嵐さんを振り返った森野は笑顔で頷いた。

「どうぞ。ちょうど私は行くところでしたから」

森野は紙コップをテーブルに残したまま、カフェテリアを出ていってしまった。一瞬、僕と顔を見合わせた五十嵐さんは、苦笑しながら言い直した。

「ここ、いいかな?」

「どうぞ」と僕も苦笑を返して頷いた。

森野が座っていた席に腰を下ろし、五十嵐さんはしばらく森野が出ていったカフェテリアの出入り口を見遣っていたが、やがて目の前の紙コップを手にすると、僕に向かって振ってみせた。

「何か、あった?」

「さあ」と僕は首をひねった。

「さあ?」

「何かあったようなんですけど、何があったのか、よくわからないんです」

「やっぱりね」と五十嵐さんは頷いて、紙コップを戻した。

「やっぱり?」

聞き返した僕を五十嵐さんは呆れたように見返した。

「君は、少し鈍いのかな」

「そうでもないと思います」

さすがに憮然《ぶぜん》として僕は言った。

「よく知らない人から鈍いと言われれば少しは傷つくくらいには、繊細なつもりです」

「それじゃ、冷淡なだけか」

しばらく考えてから五十嵐さんの言っている意味にようやく思い当たり、僕は言った。

「ええと、そもそも、何か誤解があるようにも思うんですけど」

誤解ねえ、と五十嵐さんは鼻を鳴らした。

入院患者と奥さんが立ち上がった。二人に促されて男の子も立ち上がった。カフェテリアに白衣を着た初老の医師が入ってきたところだった。医師は五十嵐さんに軽く会釈をし、立ち上がっている三人に気づくと、そちらへ向かった。奥さんが医師のために椅子を引いたが、医師はそこに座ることなく、患者と二言、三言言葉を交わしてから、僕らとも三人とも離れた席に一人で座った。その様子をずっと見ていた五十嵐さんが低い声で言った。

「医者は病気と付き合っているわけじゃない。患者と付き合ってるんだ」

「はい？」と僕は聞き返した。

「ただ患者は病気よりずっと厄介でね。医者は病気とだけ付き合っていたほうがはるかに楽だ。休みのときまで、患者と席を共にしたくはない。その気持ちはわかるよ。でも、患者が医者に聞きたいことなんて山ほどあるし、それは診察時間内に聞き切れるものじゃない。それに自分をもっとよく知ってもらうことで、患者との信頼関係も深められるはずだ。そうは思わないか？」

「思いますね」と取り敢えず僕は頷いた。

「他の人間関係も同じだよ。その人の付き合いやすいパーツだけを選んで付き合うなんて、どだい無理な話だ。付き合いやすいパーツも付き合い難いパーツもすべてひっくるめてその人で、その人と付き合おうとするのなら、そのすべてと向き合うしかない。そうは思わないか？」

「思いますね」と僕はまた頷いた。

「だったら、一度、ちゃんと彼女と話をしたほうがいい」

「話って、何の話です？」

「そんなこともわからないのか？」

五十嵐さんは呆れたように言って、森野の残していった紙コップを僕のほうへと押しやった。

「ごみはきちんと捨てましょう。取り敢えず、そんな話から始めたらどうだい？」

五十嵐さんは立ち上がった。

「あ、昼飯は？」

「外で食べるよ」

五十嵐さんは当たり前のように言って、カフェテリアを出ていった。

私服に着替え、病院を出ようとしたとき、会計の前で順番を待つ人の中に見知った顔を見つけた。彼女は母親と思しき人と並んで座っていた。僕を見つけると、彼女は母親の手を離れてテケテケと走ってきた。慌てたように背後の母親が立ち上がって声をかけた。

「走っちゃ駄目よ、ミーコちゃん」

苦笑を向けられて僕が会釈を返すと、母親はまた椅子に座り直した。駆けてきたミーコちゃんは僕を見上げた。

「退院なの」

「そっか」

僕はしゃがんで目線をミーコちゃんの高さに合わせた。

「おめでとう。頑張ったね」

死の間際の人たちばかりに構っていたせいで忘れていたが、病院はもちろん病気を治すための場所で、人が死ぬための場所ではない。

「うん。鏡、ありがとう」

「ああ。お願いがかなったんだね」

「うん」と言ったミーコちゃんは、ちょっと後ろの母親を振り返った。ちょうど順番がきたところらしい。母親は立ち上がって、会計の窓口に向かっていた。

「あのね、内緒よ」

「うん。内緒」

「もう一つね、お願いをかなえる方法があったんだって」

「鏡とは別のやつ？」

「うん。夜、眠る前にね、私のところにきてください、きてくださいって、お祈りしてるとね」

胸の前で手を組んで目を閉じ、お祈りのポーズを作ったミーコちゃんは目を開けて言った。

「みんなが眠ったあとの、真夜中にきてくれるの。その人はね、お願い事を必ずかなえてくれるの。その人はね、真っ黒のお洋服を着てるんだって」

オリジナルの必殺仕事人伝説だ。掃除夫のバージョンとは別にきちんとまだ語り継がれているようだ。僕がこの病院からいなくなれば、いずれはそのオリジナルだけが残るのだろう。そしてまた、その噂に関わる間抜けな誰かが現れたりして、また別のバージョンの仕事人伝説が語り始められたりするのかもしれない。そう思って僕はおかしくなった。

「それはいいことを聞いたな」と僕は言った。「今度試してみる」

「内緒よ」とミーコちゃんは言った。

「うん。内緒」と僕も言った。「でも、それ、誰に教えてもらったの？」

「水島のおじいちゃん」

「ああ」と僕は頷いた。「そう。水島さんか」

視界いっぱいに真っ白く輝く月を思い出した。水島さんは先月に亡くなっていた。手術後の経過が思わしくなく、ずいぶん苦しんだあとに、最後は突然亡くなったと聞いた。あのあと何度か顔は合わせていたが、それとなくでも水島さんが仕事人の話を持ちかけたことはなかった。聞いた話がオリジナルでは、清掃員の僕に持ちかけるきっかけがない。もし水島さんが聞いていたのが、掃除夫のバージョンの噂だったなら、と僕は考えた。水島さんはいったい僕に何を持ちかけただろう？　もっといい覗きのポイントを探してこい、とか？

僕の夢想は、少し得意げなミーコちゃんの声に破られた。

「水島のおじいちゃんもね、その人にお願い事をしたんだって」

「え？」

お願い事をした？

「まさか」と思わず僕は言った。

「ホントよ」とミーコちゃんは少し口を尖らせて言った。「水島のおじいちゃんが言ってたもの」

「お願い事をしたって？」

「うん」

もしそれが本当だとするのなら、この病院には僕の他にもう一人、仕事人がいることになる。というよりも、本物の仕事人がいることも知らずに、まがい物の仕事人がせっせと患者の願い事を聞いて回っていたことになる。オリジナルの仕事人のほうは、掃除夫のバージョンの噂を聞いているだろうか。

「ね、それ、どんな人か教えてもらった？」

ミーコちゃんはふるふると首を振った。

「ミーコちゃんのお願いはね、聞いてもらえないんだって。だから教えてくれなかったの」

「ミーコちゃんのお願いは聞いてもらえないの？」

ミーコちゃんはこくんと頷いた。

「水島のおじいちゃんがそう言ってた」

「どうして？」

「ミーコちゃんの病気は治るから」

「ああ、そっか」

死を前にした人の願い事しか聞かない必殺仕事人。ただの噂だと思っていたから改めて考えてみたこともなかったが、それが実在する人ならば、ずいぶん中途半端なお人好しだ。どうせならみんなのお願い事を片っ端からかなえてあげれば、噂に囁かれるだけじゃなく、もっと人気者にもなれたろうに。

そこまで考えて、僕は苦笑した。

確かに、どこかで絞らなければ切りがなくなる。僕だって、誰かがかなえてくれるのならば、願い事の一つや二つはすぐに思いつく。

ミーコちゃん。

会計を済ませた母親に声をかけられ、バイバイ、と僕に手を振ると、ミーコちゃんは母親のもとに駆け戻っていった。

「だから、走っちゃ駄目でしょ」

呆れて笑う母親の手を取って、ミーコちゃんもにこにこしていた。二人は笑顔で病院を出ていった。

2

特別室から出てきたのは、以前、有馬さんの病室を探していた二人組だった。黒い縁の眼鏡をかけた背の低い中年男は、今日はダークグリーンのスーツを着ていた。見上げるくらいに大きな若い男は、前と似たような麻のスーツの上に白っぽいコートを羽織《はお》っていた。二人の周囲には相変わらず崩れかけた積み木みたいな危うい空気が漂っていた。僕は黙って擦《す》れ違おうとしたのだが、眼鏡のほうが僕を目に留めてしまった。

「こんにちは」

僕の押すカートの前に立ち塞がって、眼鏡が言った。

「先だっては、お手間をおかけしまして」

その丁寧な語り口は相変わらず口に馴染《なじ》んでいなかった。西のアクセントも相変わらず残っていた。

目を合わせずに一礼し、僕はそのまま歩き出そうとしたのだが、眼鏡はそこをどいてくれなかった。

「いえ」

「有馬さんとは、お親しいようですね」

押し戻すようにカートに手をかけて、眼鏡は言った。

「いえ、それほど親しいというわけでも」

「そうでしたか？」と眼鏡は言い、そのときのことを確認するように、一度、麻のスーツを振り返り、また僕に視線を戻した。「この間は、有馬さんを庇われたように思いましたが？」

そこにいた人が有馬さんと知りながら、それを教えなかったことを言っているのだろう。

「そうでしたか？」と僕は惚《とぼ》けた。

「そう思いましたがね」と眼鏡は笑った。「まあ、いいです。お仕事中、失礼しました」

眼鏡はそこから身を引くと、促すように僕の行く先に手を広げた。僕に文句を言いたかったわけではない。ただ、そこに貸しが一つあることを確認しただけなのだろう。一つの貸しを大きく見せるやり方を眼鏡は知っていた。たぶん、それを返済させる方法も知っているのだろう。僕に何かをさせようという目論見があるわけではなく、それは眼鏡の身に染みついた習性のように思えた。人を動かす立場にいる人間であることは想像できたが、そういう人の動かし方がいったいどんな職種に有効なものか、僕にはちょっと想像がつかなかった。

僕が特別室の前に立っても、二人は動かずにじっと僕を見送っていた。まとわりつくようなその視線がいたたまれず、僕はノックの返事も待たずに特別室のドアを引き開けた。途端に投げつけるような有馬さんの声が飛んできた。

「しつこいな、君らも」

僕は思わず立ち竦《すく》んだ。窓際に立って外を眺めていた有馬さんが振り返った。

「すみません」と僕は何にともなく謝った。

有馬さんは罠にかかった野ウサギみたいな表情をしていた。怒っていることは一目でわかるが、そこに猛々しさはない。むしろ弱々しい表情だった。相手が僕だとわかり表情を変えようとしたようだが、有馬さんの表情は強張ったままだった。泣き笑いのような表情をした有馬さんは、顔を伏せると、僕に向けて手を振った。そうすれば今までの何秒かが消えてなくなると思っているかのようだった。二、三度手を振り、それでも何も消えてなくならないとそこで初めて悟ったように有馬さんは言った。

「すまない。人違いだ」

有馬さんは窓際を離れると、ひどく疲れたようにベッドの縁に腰かけた。

「何かありましたか？」と僕は聞いた。「今、廊下で変な二人組と擦れ違いましたけど」

有馬さんは答えず、ただ首を振った。それ以上、声をかけられる様子でもなかった。僕はカートを病室に運び入れた。二人組は廊下から姿を消していた。窓の外には、いつかと同じような真っ赤な夕焼けがあった。

「その二人組」

僕がカーテンを引こうと窓に歩み寄ったときだ。不意に有馬さんが口を開いた。

「借金取りでね」

僕は有馬さんに視線を戻した。有馬さんは窓の外の夕焼けを眺めていた。

「ああ」と僕は頷いた。「ええ」

「隠れていたのが見つかってね。ここのところしつこい」

「そうでしたか」

「債権がババ抜きみたいにたらい回しになって、私の知らない間に少しまずいところに落ち着いたようだ」

有馬さんにのしかかっている重い空気を、僕には茶化すことくらいしかできそうになかった。

「五千円くらいなら立て替えておきますけど？」

声を立てず有馬さんは肩だけで笑った。

「五千円か。そうだな。毎日貯めて、六百年くらいしたら貸してくれないか」

六百年かける三百六十五日かける五千円。ざっと十億。

十億、と僕は考えてみた。光年をつければロマンがありそうな気がするし、粒をつければ頭が痒《かゆ》くなりそうだが、円をつけても何のイメージも浮かばなかった。見事に現実感のない金額だった。

「商売につまずいてね。つまずいて、開き直ればよかったんだけど、せこかったんだな。経営コンサルタントとかいう肩書きの胡散臭《うさんくさ》いやつが近づいてきた。会社を潰しても手元に金を残せるだなんて、虫のいい話を吹き込まれてその気になってしまった。金を隠匿《いんとく》して、会社を潰して、迷惑がかからないように女房と子供とは別れた。いくらか金を持たせてね。自分も残った金を持って、この病院に逃げ込んだ。院長と遠縁に当たるんだ。五十嵐さんって、知ってるかな？」

「名前だけは」

「しばらくかくまってもらって、病気を治しながら、出直す機会をうかがうつもりだったんだけど、甘かったな。そんなうまい話があるわけない。結局、その経営コンサルタントとやらも小金目当ての詐欺師みたいなものだったんだろう。私が逃げている間に、債権があいつらのところに行ってしまった」

借金も、一千万、二千万なら死活問題だろうが、十億ともなると個人の死活問題をとうに越えている。みんなで笑って諦めるしかないのではないだろうか。

「今、持っているお金で納得してもらうしかないでしょう？　あとは死ぬまで働いて、返せるところまで返して」

有馬さんはちらりと僕を見て、軽く笑った。

「向こうはババを選んで引いているような連中だからね。引いたババを勝ち札にするには、ゲームのルールを無視するような阿漕《あこぎ》なこともするだろう」

「それだってまさか殺されることはないでしょう？」

「どうだろうね」

他人事のように呟いた有馬さんの顔には、投げやりになった挙句に辿りついた覚悟のようなものが見受けられた。

「いや、でも、有馬さんを殺したって」

一銭にもなりはしないでしょう、と言いかけ、そうとは限らないことに気づいた。大概の人は命にお金をかけている。別に特別なことでもない。商売をしていたという有馬さんが、普通の人より多額のお金を自分の命にかけていたとしても驚くことではない。それにしたってまさか十億にはならないだろうが、ババはその額面よりもはるかに割り引かれた値段で売られていたはずだ。

「保険金殺人」

僕は口に出して言ってみた。十億円以上に現実感がなかった。

「こう言っちゃなんですけど」と僕は夕陽に向かってため息をついた。「かなり馬鹿馬鹿しいですね」

「殺す必要もないよ」

有馬さんは笑った。いや。笑ったつもりなのだろうが、表情はうまく和まず、頬だけが神経質に引き攣《つ》った。

「契約者と被契約者の同意があれば、保険金の受取人はいつでも変えられる。つまり、別れた女房と私の同意があればね。受取人の名義だけ自分たちのものに変えれば、あとは彼らは私が死ぬのをじっと待っていればいい。どうせそんなに長い時間でもない。あと半年から一年と言われて、もう半年経った」

ならば、長くてあと半年ということになる。僕は改めて有馬さんを眺めた。そこまで悪いようには見えなかった。以前、誰かに言われたように、世の中見たまんまのものというのはそう多くはないということだろうか。

「別れた女房。この前、ここで会ったろう？」

「ああ、ええ」

「子供と暮らしているんだけどね。二人のところにも、あいつらが行っているらしい」

「奥さんが保証人か何かになってたんですか？」

「いや。女房に私の借金を返す義務はない」

「だったら、行かれたって問題はないでしょう？」

「ああいう手合いは人の痛がる場所を知っているんだよ。二人のところへ行っても、あいつらは借金を返せだなんて一言も言わないだろう。脅し文句も言わない。暴力だって振るわない。ただ、毎日、毎日やってきて、借金を返さないというのがどんなにいけないことか、それがどんなに人間として恥ずべきことか、それがどれだけの人にどれだけの迷惑をかけるものか、懇々と説くだけだよ。毎日、毎日ね。新しく越したアパートにも、女房がやっと見つけたパートの職場にも、子供の学校にだってやってくる。女房が参ってる」

「ああ」

「この前、女房がきたときにね、そうしようと言われた。彼らの望むように、受取人を彼らの名義に変えようと」

有馬さんはため息をついた。

「もう十年も子供のためにかけていた保険だ。あいつらには渡したくない」

「渡さなかったらどうなるんです？」

「私が隠匿した金を差し押さえて、無一文にして、私をこの病院にいられなくするだろう。財産の隠匿というのは、何かの罪にもなるのかな。刑務所に入ることになるのかもしれない。交換条件だな。今の債権についての取り立てをしない代わりに、保険金の受取人を変更しろということらしい」

確かに眼鏡は人の動かし方を知っていた。貸しが一つ。その返済方法も一つ。

有馬さんは苦く笑った。

「そんなことはどうでもいいんだがね、せっかく落ち着いた二人の生活が乱されるのはたまらない」

皮肉なものだな、と有馬さんは呟いた。

「一番いいのは、今、この瞬間に私が死んでしまうことなんだ。今、死ねば借金もなくなる。保険金も息子に入る。私が死ねばあいつらだって諦めるだろうし、毎日、毎日、息子の耳に私の悪口を吹き込むこともないだろう」

有馬さんはうつむいたまま床の一点を見ていた。そのままの姿勢で呟いた。

「なあ、君――」

――私を殺してくれないか？

一瞬、言われた意味がわからなかった。意味がわかったあとでも、それが僕に向けられたものだとは思わなかった。有馬さんが見つめる床の上に、アリだかネズミだかクツワムシだかがいて、有馬さんはそれに向かって戯《たわむ》れに言っているのかと思ったのだ。けれど有馬さんは答えを求めて、僕の顔を見返した。

「冗談でしょう？」と僕は言った。

「手元に、まだ一千万ほどある。そこの棚に現金で入っている。半年の入院生活でだいぶ目減りしたけどね。会社を潰したときに持ち出した金の一部だ。それで、やってくれないか？　手段は問わない。私が金を持っていることを知っている誰かが、私を殺して、金を持ち逃げした。そんなところでどうだい？　そうだな。あの二人組が今度訪ねてきた直後にやれば、あいつらが疑われるかもしれない。どちらにしたところで、君に疑いがかかることはないだろう」

「かなり本気らしいですね」

ため息をついた僕をじっと見て、有馬さんは笑った。

「そんなに死にたければ自分で死ねと言いたそうだね」

「言いたくないですよ、そんなこと」と僕は言った。「ただ、ちょっとそう思っただけです」

「遠からず私は死ぬ。息子の成長を見守ってやることはできない。相談に乗ってやることも、叱ってやることも、誉めてやることもできない。現実に息子を助けてやれないのなら、せめて幻想でもね、息子の支えになってやりたい。借金取りに追い詰められて自殺しただなんて、そんな情けない親父になりたくないんだ」

有馬さんは沈黙した。どうやらまだ答えを待っているようだった。

「すみません」と僕は言った。「僕にはできません」

「そうだよな」

有馬さんは自嘲のように低く笑った。

「すまなかった。忘れてくれ」

何か僕にできることがありますか。殺すこと以外に。そう聞きかけて、やめた。あるはずもなかった。

「失礼しました」

僕は有馬さんに一礼をして、特別室を出た。

上の階から順に掃除を済ませて一階へ降りてみると、誰もいない外来受付の待合ロビーの長椅子に寝そべっている人がいた。白衣を着ていた。不謹慎な医者もいるものだと思って顔を覗き込んでみると、五十嵐さんだった。今は誰もいないとはいえ、受付の前だ。患者だって通るし、患者の家族だって通る。病院長の息子なら、人目につくところで寝そべっていても許されるのだろうか。

僕の視線を感じたようだ。五十嵐さんがぱちりと目を開けた。

「やあ」と五十嵐さんは悪びれた風もなく言って、体を起こした。

「お疲れのようですね」と僕は言った。

「疲れる。疲れるねえ。臨床は疲れる。アメリカじゃ、基礎研究ばっかりだったから」

大きく伸びをしてから、五十嵐さんは気づいたようだ。

「あ、今の、皮肉だった？」

「まあ、一応」と僕は言った。「クビをかけた渾身《こんしん》の皮肉だったんですけど」

「そりゃ悪かった」と五十嵐さんは笑った。「でも、この激務は問題だな。医者も看護師も、こんなに休みなく働いていたら、医療事故を引き起こしかねない」

五十嵐さんがそう促すように場所をあけたので、僕は五十嵐さんの隣に座った。かといって、別に話があるわけでもないらしく、五十嵐さんは伸ばした腕を胸に引きつけるようにして肩のストレッチを始めた。

「聞いていいですか？」

腕を替えた五十嵐さんに僕は言った。

「何？」

「特別室にいる」

「有馬さん？」

「ええ。だいぶ、悪いんですか？」

「医者には守秘義務があってね。患者さんの病気のことをぺらぺら喋るわけにもいかない」

そう言った五十嵐さんの暗い表情が答えだった。

「ああ」と僕は頷いた。「それはそうですね」

「父の遠縁に当たる人でね」

頭の後ろで手を組んで下を向き、五十嵐さんは首の筋を伸ばした。

「もっとも、暑中見舞いと年賀状のやり取りがあったくらいで、そんなに深い付き合いはなかったらしいけど」

「息子さんがいらっしゃるとか」

「ああ。結婚されて、だいぶ経ってからの出産だったらしいから、まだ十歳かそのくらいじゃないかな。生まれて間もないころに一度だけ会ったことがあるよ。お母さんに似てね、目のぱっちりした、かわいい男の子だよ」

「奥さんとは離婚されたんですって？」

五十嵐さんは顔を上げ、少し驚いたように僕を見た。

「そんなことまで聞いてるのかい？」

「ええ」

「じゃあ、会社のことも？」

「経営に失敗されたことは聞きました」

「ああ。精密機器を加工する工場を経営してらしたんだ。父親から受け継いだ小さな町工場を有馬さんの代でずいぶん大きくしたらしい。最後は大勢の人を使ってたみたいだけど、継いだばかりのころは奥さんと二人でひどく苦労されたみたいだよ。子供を作るのが遅かったのもそのためだって聞いたな。長い間支え合ってきたご夫婦なんだ。だから、離婚といっても便宜上のもので、別に嫌い合っているわけでも、憎み合っているわけでもない。現に、奥さんは何度もお見舞いにみえているし」

「そうですか」と僕は頷いた。

「ああ、噂をすれば」

五十嵐さんの見遣った先に、以前、有馬さんの病室で会った女性がいた。有馬さんを見舞って、帰るところなのだろう。自分を見る五十嵐さんに気づいて、女性は頭を下げた。五十嵐さんも立ち上がり、礼を返した。五十嵐さんはそう期待したようだったが、女性はこちらへは近づいてこずに、そのまま正面口から出ていった。奥さんが有馬さんの病室にいたのは、どれくらいの時間だったのだろう。有馬さんの病室を出てから今までの時間を思い起こそうとして、僕はその無意味さに首を振った。いずれにしろそれは、一人きりの時間に比べればほんの短いものだったはずだ。次はいつ破られるともわからない沈黙の中、一人、病室にいる有馬さんの孤独を思った。

「死ぬって」と僕は言った。「どんな感じでしょうね」

五十嵐さんが僕を振り返り、微笑んだ。

「目をつぶってごらん」

「はい？」

「目」

五十嵐さんは腕を伸ばし、手を横にして僕の両目を覆った。僕は目をつぶった。何かするのかとも思ったが、五十嵐さんの手は僕の目を覆ったきり動かなかった。どこかで人の歩く音が聞こえた。誰かが喋る声も聞こえた。アナウンスで麻酔科医が呼び出されていた。ストレッチャーを押す音だろうか。金属が擦れ合う音も聞こえた。やがて五十嵐さんの手が離れ、僕は目を開けた。

「どう？」と五十嵐さんは言った。

「どうって言われても」

「今の十秒間、君は生きていた。けれど、いつからか、その十秒間、君は死に近づいたと感じるようになる。そうなったら、もう誰にも死は止められない。君を搦《から》め捕り、その世界に引きずり込むまでね」

その心境を想像してみた。すべてを塗りつぶす黒が徐々に目の前に近づいてくる。ただ縮まっていくその距離を目測するだけの時間。

「怖い、ですね」と僕は言った。

「そう。怖い。怖いだろうね」

五十嵐さんは頷いた。再び麻酔科医を呼び出すアナウンスが響いた。それで仕事中であることを思い出したらしい。

「さてと」

五十嵐さんは両手を腰に当てて、呟いた。

「僕はここで何をしているんだっけな？」

「さあ」

「ああ、そうだ。病棟の回診だった。忘れてた。こんなとこで唐変木《とうへんぼく》と親交を深めてる場合じゃない」

「唐変木？」

「それじゃ」

僕に反論を許さず、五十嵐さんは行ってしまった。しばらく考えてから掃除の途中だったことを思い出し、僕は長椅子から立ち上がった。誰もいない長い廊下にモップを滑らせながらふと見遣ると、自動ドアのガラスの向こうに、さっき出ていった有馬さんの奥さんの背中があった。誰かを待っているようだった。廊下を端まで行って戻ってきたとき、ちょうど車寄せに白い軽トラックがやってきた。軽トラックは有馬さんの奥さんの前で停まった。奥さんは車に乗り込んだ。運転席に乗っているのは、奥さんと同年輩の男だった。それが誰なのかは知らない。親戚かもしれないし、友人かもしれない。奥さんは今の自分の境遇を誰かに相談したいのかもしれないし、誰かに愚痴を聞いてもらいたいのかもしれない。それ以上の関係を考えるのは邪推というものだろう。けれど、車に乗り込んだ奥さんが運転席に向けた笑顔は、僕の胸に小さな棘《とげ》を残した。

3

時折の曇り空を挟んで、一週間ほど冷たい雨が降り続いた。家の文房具屋には、来年の手帳が入荷された。来年のカレンダーと年賀葉書の印刷の予約も始まった。僕の論文は紆余曲折を辿りながら、ひどくありがちな結論に向かって進んでいた。アルバイトのときに何度か特別室に掃除に訪れたが、有馬さんの姿を見ることはできなかった。看護婦さんに聞いてみると、有馬さんの体調が急に悪化し始めたと教えられた。

「そんなに進行はしてないはずなのにね。有馬さん、息が上がって、眩暈がするっておっしゃって。肝臓とは別に、心臓に異常があるんじゃないかって、その検査を色々してるみたい」

アルバイトを終えて帰ろうとしたとき、がらんとした外来受付の待合ロビーの長椅子に、有馬さんの奥さんがぽつんと座っているのを見つけた。どこか放心したような顔に、しばらく迷ったが僕は足を止めた。

「どうしました？」

僕が声をかけると、奥さんは顔を上げた。

「ご気分でも？」

「ああ、いえ。違うんです。ちょっと休んでいただけです」

ほうとため息をついて、奥さんはほつれた髪を直すように頭に手をやった。

「有馬さんの奥さんですよね？」と僕は言った。

「え？」

僕の顔をしばらく眺めた奥さんは、やがて思い当たったように、ああ、と呟いた。

「掃除の」

「神田といいます」

「有馬がいつもお世話になっています」

「いえ、こちらこそ」

僕は許可を求めてから奥さんの隣に腰を下ろした。

「有馬さん、どこかまた悪くされたんですか？」

「ええ」といったんは頷いてから、奥さんは首をひねった。「先生がたにもよくわからないんだそうです。本人がそう訴えているだけで」

「そうですか」

有馬さんに頼まれたことを話すべきかとも思ったが、話せなかった。奥さんはひどく疲れているように見えた。ため息を一つ漏らすたびに、体が一回り縮んでいくように見えた。

「いつもお一人なんですね」と僕は言った。

奥さんは問いかけるように僕を見た。

「息子さんがいらっしゃるとうかがいました」

ああ、というように奥さんは頷いた。

「息子はまだ小さいですから」

五十嵐さんは息子さんを十歳くらいだと言っていた。小さいといって、出かけるのに足手まといになるほど小さくはないだろう。小さいから、だから何なのか、奥さんは言わなかった。まだ小さいから、死に行く父親に会わせたくない？　それともなるべく有馬さんの記憶を持たせたくない？　有馬さんのいるべきその場所に代わって居座る誰かが、すでにいるのだろうか。

僕は以前、奥さんの乗り込んだ車にいた男を思い出した。その男に向けた奥さんの笑顔も。

それ以上の想像を避けるために僕は話を変えた。

「二人組」

「はい？」

「関西芸人みたいな凸凹コンビ」

奥さんはしばらく考えてから、ああ、と笑った。

「つきまとわれているそうですね」

「あの人が？」

「ええ。ここにも訪ねてきたことがあって、そのときにだいたいのお話をうかがいました」

「そうでしたか」

恥じ入るように奥さんは僕から視線を避け、床に向かって呟くように、ほうとまたため息をついた。

「大丈夫ですか？」

「私は、ええ、大丈夫ですけれど、息子が怯えてしまっていて」

「ああ、そうでしょうね」

「私はお金なんてもういいんです。あの人にも何度もそう言っているんですけど、聞いてくれなくて。お金なんてなくたって、生き残ったものは、生き残ったもので何とかやっていけるものです。そうでしょう？」

そういう問題ではないはずだった。それは有馬さんにとって、息子さんに残せる唯一の存在証明なのだ。それくらい僕にだってわかった。奥さんにわからないはずがなかった。

「まるで」

僕は言いかけた。僕の脳裏には奥さんのことを語る有馬さんの姿があった。有馬さんはためらいなく女房と言った。奥さんは決して主人とは言わなかった。有馬と呼び、あの人と呼んでいた。

言いかけた僕に奥さんが目を向けた。続きを促すような奥さんの視線に僕は結局その最後までを口にした。

「まるでご主人と縁を切りたがっているように聞こえます」

怒られるかと思ったし、そうしてくれることを期待したのだが、奥さんは怒らなかった。

「そうなんでしょうか」

てんで他人事のように奥さんは呟いた。

「そうなんですか？」と僕は重ねて聞いた。

「わからないんですよ」と奥さんは答えた。「わからないんです。私にも。自分がいったい何を望んでいるのか」

奥さんはまたため息をついた。奥さんは混乱して、疲れていた。当たり前だった。

「あの人」

「はい？」

「最近、変じゃありませんか？」

「変、というと？」

「うまくは言えないんですけど、何か」

それを表現する言葉が見つからなかったようだ。奥さんは中途半端なままに口を噤んだ。

「注意しておきます。最近、検査で病室にいらっしゃらないことが多いもので、お会いしていないんです。今日も病室にうかがったんですけど、お会いできなくて」

乾いた靴音に僕はそちらを見遣った。男が一人歩いてくるところだった。いつか見た車に乗っていた男だった。

「お待ち合わせでしたか」と僕は言った。

言葉に微かにこもってしまった非難の色に奥さんは気づいたようだ。

「パートをさせて頂いている職場の方で、色々と心配してくださって。職場にもあの二人がくるものですから、何かと相談に乗って頂いたりしていて」

それは抗弁でも反論でもなく、明らかに言い訳だった。取り繕うようなその口調が、僕の勝手な想像を膨らませた。

「だから」

僕は思わずそう口走ってしまった。

「有馬さんはもういいんですか？」

奥さんは僕から視線を逸らして黙り込んだ。いくら何でも言い過ぎだった。

「すみません」と僕は謝った。

「いえ」

奥さんはうつむいた。男の足音が近づいてきていた。奥さんはうつむいたまま小さく呟いた。

「いけないんでしょうか？」

「え？」

「私は誰かを頼ってはいけないんでしょうか？」

それはもう言い訳ですらなかった。本当に僕の答えを待つように、奥さんは僕を真っ直ぐに見返した。

いけないはずはなかった。どの道、有馬さんは奥さんと息子さんを残して先に逝くのだろう。小さな息子と共に残される奥さんが別な誰かを頼ったところで、誰にも責める資格はない。有馬さんにだってそんな資格は、きっとない。ましてや僕にあるはずがない。

僕は椅子から立ち上がった。

「差し出がましいことは承知していますが」と僕は言った。「よろしかったら、今度は息子さんと一緒にいらしてください」

僕は頭を下げた。奥さんの返事はなかった。男がやってきた。僕の素性を問うように奥さんに目を遣った男に目礼をして、僕はその場から立ち去った。

久しぶりに有馬さんの顔を見たのは、アルバイトももう残り二週間を切ったころだった。僕が掃除に入ると、有馬さんはベッドに横たわり、笑顔で僕を迎えた。その笑顔に僕は生理的な嫌悪を覚えた。どこかが壊れたような、人間としての何か大事な部分が壊れたような、嫌な笑顔だった。奥さんの言ったように有馬さんは確かに何か変だった。

「思いついたよ」

僕がカートからモップを抜き取るのも待たず、有馬さんは言った。

「何をです?」

「死ぬ瞬間に自分は何を考えるのか。いや、人間はいったい何を思いながら死んでいくのが正しいのか」

「聞きたいですね」

逸らそうとしたが、有馬さんの顔から目を逸らすことができなかった。変に粘着質な笑顔だった。

「後学のために教えてください」

「ああ、これでやっと死ねる」

天井を見上げたまま、有馬さんはうっとりと言った。潤んだような目を僕に向け、有馬さんは言った。

「それが正しいんだ。そうじゃないか？」

僕は有馬さんの腕につけられている点滴を確認した。取り立ててトリップするような薬は入っていないはずだった。

「どうやら正気のようですね」と僕は言った。

「仏陀はね」と有馬さんは言った。

「ブッダ？」と僕は聞き返した。

「釈迦だよ」

「ああ」

「彼は成仏したかったんだ。古代インドでは、生き物は死ぬと生まれ変わると信じられていた。輪廻転生《りんねてんしょう》だね。彼はその輪廻を断ち切りたかった。どうしてか？　二度と生きたくなんてなかったからさ。二度と、こんな辛いものを味わいたくなかったからさ。彼を支えたのは信念じゃない。恐怖だ。また生まれ変わる。また生きなければいけない。そこから生まれた恐怖だ。彼は痛切なまでに虚無になることを求めたんだ。そうだろう？」

そこに注ぎ込まれているのが狂気でないならば、それは死そのものなのかもしれない。僕が向けた視線の先で、点滴の溶液がまた一つ落ちた。

「どうでしょう」と僕は言った。「あいにくと僕は面識がないもので、彼が何を考えていたかまではちょっと」

「けれど、現代の日本では誰も生まれ変わりなんて信じてない。私だって信じてない。だから、私はたった一度死ぬだけでいいんだよ。辛い修行も崇高な悟りもいらない。ただ死ぬだけでいいんだ。こんな簡単なことを何で思いつかなかったんだろう」

すべてを塗りつぶす黒に飲み込まれるのが怖いのなら、その黒と同化することを望めばいい。有馬さんの出した答えは、ひょっとしたら正しいのかもしれない。けれどそれを受け入れることは、僕にはどうしてもできそうになかった。

「まあ、どうでもいいですけどね」

僕は有馬さんのベッドを離れながら言った。それ以上留まれば、有馬さんの周りにある空気に取り込まれてしまいそうな気がした。ねっとりとした空気は確かに僕の肌に触れ、鳥肌を立たせていた。

「ただ、この前の話なら、お断りしてますよ」

一度は手にしたモップを僕はカートに戻した。どうせ掃除をするほどの汚れもない。それ以上その場所にいることに僕は耐えられそうになかった。

「この前の話？」

有馬さんはまだ笑みを貼りつかせたまま、僕を見上げた。

「有馬さんを殺すっていう、あの話です」

「いいさ。君には頼まない」

「ならいいです」

カートを押し、ドアに手をかけ、そこで僕は言葉の違和感に有馬さんを振り返った。

「僕には？」

有馬さんの目線は天井に向けられたまま動くことはなかった。顔にはまだ粘着質な笑みがあった。

「僕にはって、どういうことです？　まさかあの二人組に頼む気じゃないでしょうね。保険金、渡す気ですか？　息子さんのことは」

有馬さんは小うるさそうに僕に向けて手を振った。

「頼んだって、あの二人がやるものか。あいつらはそこまで馬鹿じゃないよ」

「奥さん？」

「馬鹿な」

「じゃあ、誰に頼むんです？」

「誰にも頼まなくたって、もうすぐ死ぬさ」

それを見せびらかすように有馬さんは点滴のついた腕を上げた。

「運が良ければ、今月中には死ねるだろう。もっと運が良ければ、今週中に死ねるだろう。明日というのは、贅沢過ぎるかな」

点滴の中身はただの栄養剤のはずだった。それだって、有馬さんが食欲がないと訴えたために仕方なくつけたものだと聞いていた。

「看護婦さんは、まだそこまで悪くないはずだと言っていましたけど?」

「看護婦なんかに何がわかるね」と有馬さんは言った。「医者にだってわからんさ。私の体だ。私が一番よくわかっているよ」

有馬さんの顔にはまだ笑みがあった。けれどその笑みには、先ほどとは異質のものが混じっていた。何かを取り繕うような笑みだった。有馬さんは何かを誤魔化そうとしていた。それが何なのかしばらく考え、僕はふとその可能性に思い当たった。

「こういう噂、聞いたことがありますか?」

有馬さんの表情を慎重に観察しながら、僕はゆっくりと言った。

「この病院には、死を前にした患者の願い事をかなえてくれる人がいるそうです。その人は、黒衣をまとって、真夜中の病室にやってくるそうです」

有馬さんの視線が、今日初めて僕の顔に焦点を結んだ。

「何だね、それは?」

「だから、噂ですよ。そういう噂があるんです」

「知らないね。もしそんな人がいるんだったら、その人に頼もうかな」

そう言った有馬さんは、それ以上の会話を拒むようにまた天井を見上げた。

「そうですか」

僕は有馬さんに一礼して、病室を出た。急いだところでどうしようもないのに、自然と早足になった。有馬さんは頼んだのだ。それを本物の必殺仕事人に。そして彼は受けた。そうとしか考えられなかった。


神崎さんがやってくるまでに、煙草を二本灰にした。夕暮れ時の冷たい風をしのぐ足踏みにも疲れて、僕がしゃがみ込もうとしたとき、小太りのシルエットがせかせかと歩いてきた。どうやら僕のことは覚えていないようだ。自分の車の脇に立つ僕に神崎さんは不審そうな目を向けた。どこか惚けた雰囲気のあるその医師は、仕事人のイメージとはだいぶかけ離れていた。

「君は、確か」

「神田といいます。病院で清掃のアルバイトをさせてもらっています」

「ああ。そうだったね」

「ちょっと聞きたいことがあるんですけど、いいですか？」

「長い話は勘弁してくれよ。クタクタなんだ。さっさと帰って、風呂に入って、焼酎を飲んで、眠りたい」

「すぐにすみます」と僕は言い、聞いた。「水島さんの担当医は、確か、先生でしたよね？」

「水島さん？」

「すい臓癌で入院されていて、天体観測が好きだった」

「ああ、あの水島さん」と言ってから、神崎さんはそのときのことを思い出したようだ。「あ、そうか、あのときの。君、あれはないだろう？　あのあと、ナースに吊るし上げを食らって、言い訳が大変だったんだぞ」

「あれは僕じゃないです」と僕は笑った。

「まあそうだけど」と神崎さんも笑った。「あの女の子、あれから見かけないけど、どうした？　退院したの？」

「手術のために名古屋のほうに転院すると聞いて、それっきりです」

「そう」と神崎さんは頷き、聞いた。「それで、水島さんが何？」

「水島さんの担当は先生でしたよね」

「うん。内科はね」と落としかけた首を神崎さんは中途半端に止めた。「あ、いや」

「違いましたっけ？」

「途中まではそうだったんだけどね。ほら、院長の息子さんがアメリカから帰ってきただろ？　だから、担当を引き継いでもらった」

「担当医って、そんな簡単に代わるものなんですか？」

「何でそんなこと気にするんだ？」と神崎さんは言って、ふと何かに思い当たったように眉を寄せた。「あ、ひょっとして、ご遺族から、何か不満が出てるのか？　君、何か言われたの？」

「いや、そうじゃないですけど」

「何だよ」と神崎さんは息を吐いた。「最近、あっちでもこっちでも告訴だ、訴訟だって、医者はビクビクしてるんだから。そうでなくたって、俺、気が小さいんだからさ。脅かすなよな」

神崎さんはおどけるように肩をすくめた。

「すみません」と僕は笑った。

「まあ、あそこまで進行してちゃ、どの道、手の施しようもなかったし、どうせ内科の出る幕じゃないさ。ちょうど立て続けに患者が入ってきた時期だったから、取り敢えず容態の急変が考えにくい患者さんは五十嵐先生に任せたんだ」

「でも、急変したわけですよね。それは予想外の急変だったわけですね」

しつこ過ぎたのかもしれない。さすがに神崎さんの目つきが鋭くなった。

「君は何を聞きたいんだ？　人間の体ってものは、そんなにシステマティックにできてるわけじゃない。もっとファジーなものなんだよ。それに医学だって万能じゃない。医者の予測を超えて、容態が急変することだってある。そんなものは誰の責任でもない」

憮然としてポケットからキーを取り出し、神崎さんは車に乗り込んだ。閉めようとしたドアを僕は手で押さえた。

「もう一つだけ」

「何だよ」

「有馬さんの内科の担当医は、今、誰です？」

神崎さんはその質問の意味を探るように一拍置いてから答えた。

「五十嵐先生だ」

院長のほうではないだろう。院長なら、五十嵐先生ではなく院長と呼ぶ。

「ありがとうございました」

僕に当てつけるように一度エンジンをふかしてから、神崎さんは乱暴に車を発進させた。

もう疲れちゃったよ。

水島さんの声が聞こえたような気がして、僕はそちらを振り返った。薄い雲の向こうにある白い月と目が合った。

だったら、もういいよ。

泣き出しそうな声で月は呟いた。

有馬さんは、仕事人に自分を殺すことを頼んだ。水島さんは、仕事人にいったい何を頼んだのだろう？

ふと以前にも思い浮かべた疑問が頭によみがえった。

仕事人は、何で死を前にした人の願い事しか聞かないんだ？

勤務を終えたおばちゃん二人が賑やかに部屋を出ていって、清掃員の控え室には僕と速水さんだけが残された。だらしなく椅子に座った速水さんの手には、写真週刊誌があった。耳にはいつものようにイヤフォンが差し込まれていた。それまで意味もなくめくっていた漫画雑誌を閉じて、僕は速水さんの背後に回り、両方の耳からイヤフォンを抜いた。速水さんが不機嫌そうに僕を振り返った。僕は構わずに聞いた。

「必殺仕事人伝説。聞いたこと、ありますか？」

速水さんの顔がさらに不機嫌そうに歪んだ。

「あるんですね？」

速水さんは手にしていた写真週刊誌を放り出すと、僕の手から乱暴にイヤフォンを取り返した。

「ずいぶん前の噂だよ。最近じゃ、違う話になってるみたいだけどね」

イヤフォンを耳に入れかけた速水さんの手を僕は押さえた。

「もともとはどんな噂だったんです？」

速水さんが探るように僕を見た。

「死を前にした患者の願い事を聞くために、深夜の病室に忽然と現れる黒衣の男」と僕は言った。

「知ってるんじゃないか」と速水さんは言った。

「彼は何をしにやってくるんです？」

「だから、死にかけている患者の願い事を聞くためだよ」

「その願い事って、何なんですか?」

分厚い遠視用のレンズの向こうで、速水さんの視線がわずかに揺れた。速水さんは僕がすでに答えを知っていることを悟ったのだと思う。それでも自分に話させようとする僕の真意を探るように押し黙って僕を睨んだ速水さんは、やがて根負けしたように口を開いた。

「死にかけた人間の願い事なんて、そんなに多くはないだろう? もっと生きていたいと願うか、そうじゃなけりゃ」

速水さんは投げやりに言った。

「そうだよ。いっそ殺してくれって、そう願うか」

もう一度、イヤフォンを耳に入れかけた速水さんの手を僕はまた押さえた。

「その話、聞かせてくれませんか?」

速水さんは再び押し黙って僕を睨んだ。そこに探したのは、僕がそう聞いた理由ではなく、速水さん自身の理由のようだった。喋るべきか、否か。僕を睨んではいたけれど、速水さんの視線は僕を見てはいなかった。そこまで速水さんを迷わせるものが何なのか、僕にはわからなかった。そこに映る自分と見詰め合うようにしばらく僕の目を睨んだ速水さんは、やがて僕から視線を逸らし、言った。

「煙草、あるかい?」

僕は煙草を差し出した。速水さんが一本口にくわえ、僕はその先に火をかざした。

「もう三年以上も前だよ。一時期、この病院で患者の急死が続いたことがあってね。そこから立った噂だよ。噂が立つ程度には、不自然な急死だったんだろう。もっとも、死んだのは、みんなどうせもう長くはない患者たちだったから、そんなに問題にもならなかった」

ふう、と細く長く速水さんは煙を吐き出した。

もともとのそれは御伽噺《おとぎばなし》なんかではなく、黒い噂だったのだ。だから速水さんは過剰に反応した。美子ちゃんの母親がそれを口にしたときも、上田さんがそれを口にしたときも。

「それで、誰も問題にしなかったんですか？　急死した患者の遺族とかも？」

「しなかったね」

「どうして？　医療ミスだったりしたのかもしれないじゃないですか」

「噂を信じたからさ。いいや、頭では認めなかったろう。でもね、心のどっかでは信じたんだよ。信じたことを認めたくなくてもね、どうしようもなく信じちゃったんだよ」

まずいや。

呟いた速水さんは、もう一口吸っただけで、誰かが飲み残していったジュースの缶の中に煙草を落とした。

「どういう意味です？」

「毎日、毎日、病院に見舞いにきているとね、わかるんだよ。自分の愛するその人が、それを望んでいたことが。わかっちゃうんだよ。みんながみんなじゃないかもしれない。最後まで生きる望みを捨てなかった人もいるだろう。でも、少なくとも、自分の愛するその人はそれを望んでいた。そして誰かがそれをかなえてくれたんだってね。だったら何を騒ぐ必要があるんだい？」

その口調に僕は思い当たった。確かにそれだけならば、速水さんもあそこまで過剰に反応するはずはないのだ。一瞬、合った視線を外して、速水さんは乱暴に頷いた。

「そうだよ。私の連れ合いもこの病院で死んだんだ。そろそろ四年になる。最後のころはずいぶん苦しそうだった。私は何もしてやれなかった。死に目にはあえなかったんだけどね。でも、死んだあとはとても安らかな顔をしてたよ。だったらそれでいいじゃないか」

それでいいじゃないか。

自分に言い聞かせるように速水さんは繰り返した。

「でも」

僕は言いかけた。それを遮るように速水さんはまたイヤフォンを耳に押し込んだ。

こんなに愛している自分がいても、その人は自分のいない世界へ行くことを望んだ。頭では決して認められない。けれど、心の奥底ではそれを信じてしまっている。だったら、すべてに耳を閉ざして、日々を乗り切っていくしかない。そうじゃなければ遺された者は、今日という一日すらきっと生きていけなくなる。

「すみませんでした」

僕は言った。速水さんの耳にはもう届かなかった。

4

「五十嵐先生？　いい人なんじゃない？」

看護婦さんは大きなお尻を僕に向けて突き出すと、よいしょ、と声をかけてごみの入った袋を二つ持ち上げ、僕を振り返った。

「ちょっと重いよ」

僕は看護婦さんから袋を受け取った。看護婦さんはぱんぱんと両手をはたきながら言った。

「病院長の息子なのにそれをかさにきることもないし、留学してただけあって医学知識も確かだし。患者さんの評判もいいみたいよ。何で？」

「完璧なものを見ると欠点を探したくなるのは、僕がひねくれてるからですかね」

僕は隅にあった別のごみ袋に手を伸ばした。

「あ、そっちは業者に出すごみだからいいや。ね、それって誰かの悪口を聞きたければ私に聞けってこと？」

「す、するどい」

僕がのけぞってみせると、看護婦さんは大きな体を揺するようにして笑った。

「あいにくとまだ見当たらないわね。今度までに何か見つけておくわ。実は足が臭いとか、ありそうじゃない？」

「あ、それ、ありそうですね」

僕も笑い返して、ナースステーションを出た。受け取ったごみの袋をカートの下に押しこんで、少し考えた。一番口の悪い看護婦さんからも文句が聞かれないのだから、たぶん、他の看護婦さんに聞いてみても無駄だろう。意地悪さでは引けを取らないパートのおばちゃんたちにも聞いて回ってはみたが、五十嵐さんの評判は悪くなかった。かっこいい。優しい。娘を嫁にやりたい。散々、聞いて回っても、集まったのはそんな話ばかりだった。

疲れ切った頭を少し休ませようと、僕は喫煙所に足を向けた。喫煙所では入院着を着た老人がぼんやりと煙草をふかしていた。僕は少し離れた椅子に腰を下ろし、煙草に火をつけた。最初の煙を吐き出しながら、目を閉じて、眉間を揉んだ。

「古田《ふるた》さん。駄目ですよ、煙草は」

声に目を開けると、五十嵐さんが喫煙所に入ってくるところだった。言われた老人は、悪戯を見つかった子供のように頭を掻き、煙草を灰皿に捨てると、そそくさと喫煙所を出ていった。

「しょうがないなあ」

五十嵐さんは呆れたように苦笑して、その後ろ姿を見送った。出勤したところなのか、仕事を終えて帰るところなのか、五十嵐さんはいつもの白衣ではなく、薄手の黒いロングコートを羽織っていた。

「今のお爺さん」

コートの前をかき合わせると、五十嵐さんは僕の向かいに腰を下ろした。

「君にはどう見えた？」

「どうって」

五十嵐さんに釣られて、その老人が歩いていったほうを見遣りながら僕は言った。

「別に変わったところはないように思いましたけど？」

「彼があと二、三ヶ月の命と聞いても？」

五十嵐さんは静かに僕に視線を戻した。僕は答えに詰まった。五十嵐さんはにこりと笑った。

「生きていることと、死んでいくことは違う。表面上は同じであっても、それは決定的に違う。そう思わないか？」

それはそうかもしれない。けれど、僕は頷くことができなかった。五十嵐さんがその先に何かを用意している気がしたからだ。それは僕が頷けないような結論を備えた三段論法の小前提であるように思えた。

「まあ、そんな話はいいか」

胸の内で身構えた僕を軽くいなすように話を打ち切ると、五十嵐さんは頭の後ろで手を組んだ。僕が軽く息を吐いた瞬間、ごく何でもないことのように五十嵐さんは言った。

「ところで、僕のことを聞いて回ってるって？」

吐きかけた息が止まった。僕と五十嵐さんの目が合った。僕としてはそれなりにさり気なさを装って聞いて回ったつもりだったが、どこからか五十嵐さんの耳に入ってしまったようだ。怒るかと思った五十嵐さんは、意外にも破顔した。

「いやあ、悪かった。そうだとは思わなかった。鈍いだなんて、失礼なことを言った。そうなら彼女の気持ちに気づかなくても仕方がないよな。でも、申し訳ないけど、僕はストレートなんだ。君に対してそういう気持ちは持ってない」

「はい？」と僕は聞き返した。

「僕に興味があるんだろう？」

五十嵐さんはにやりと笑った。僕が何をどこまで承知しているか、探りを入れているわけではない。五十嵐さんは、ただ僕をからかっているだけのようだった。

「興味はありますね」

ゆっくりと煙草を消し、切り出し方を考えながら僕は言った。五十嵐さんにすれば、それは本来、仕掛けなくていいゲームのはずだった。それでも五十嵐さんは仕掛けてきた。それだけ余裕があるということか。

「とてもあります」

「だから、悪いけれど僕は……」

「一つの噂がありました」

ペースに乗せられてはまずいと思って、僕は五十嵐さんの言葉を遮った。先手を取って畳みかける。十分なカードを手にしていない以上、方法はそれしかない。

「この病院には、死を前にした人の願い事を何でもかなえてくれる仕事人という人がいるという噂です。もともとの噂では、その仕事人は深夜の病室に現れる黒衣の男ということになっていました。けれど、ある事情があって、最近では、鼠色の作業着の掃除夫となっていたはずなんです」

「ふうん」と五十嵐さんは鼻を鳴らした。「君のこと？」

構わずに僕は話を続けた。

「ところが、噂の中で、鼠色の作業着の掃除夫になっていたはずの仕事人が、最近になって黒衣の男に戻りました。噂が立ったのは三年以上前、あなたがまだ病院にいたころです。黒衣の男に戻ったのはごく最近、あなたが帰ってきてからです。これって偶然でしょうか？」

五十嵐さんは何も言わず、肩をすくめた。その顔には微塵《みじん》の動揺もなかった。

「あなたが仕事人だった。あなたがアメリカに行っている間に、噂はただの御伽噺になり、鼠色の作業着の掃除夫に引き継がれていた。あなたが戻ってきて、また黒衣の男が復活した。戻ってきたあなたが仕事をしたからです。違いますか？」

「何を言ってるんだい？」

もちろん、認めるわけはなかった。僕だってすんなり認めてもらえるとは思っていなかった。僕は強引にカードを切り続けた。

「けれど、その噂は間違っていた。語り継がれていく間に違うものになっていたんです。黒衣の仕事人は、願い事を何でもかなえてくれるわけじゃない。たった一つだけかなえてくれるんです。たった一つ。つまり、死を前にした患者に死を与える。それだけをかなえてくれるんです。あなたはそういう存在だった。アメリカに留学していたのはなぜです？　やっていた仕事がばれそうになって、ほとぼりを冷ましていたんですか？」

「君が何を言っているのか、よくわからないけれど」と五十嵐さんは頭の後ろに手を組んだまま、のんびりとした口調で言った。「つまり、君は、この病院の誰かが末期の患者さんに対して、安らかな死を提供していると言いたいのかな？　それだったら、僕は賛成だね。ときにはそれが最善の治療法ということだってあると思うな」

五十嵐さんが初めてカードを見せた。そのカードを慎重に吟味して、僕は言った。

「医者が患者を殺しても許される、と？」

「医師は病気を治すのが仕事だ。それ以上踏み出すのは危険だし、傲慢だ。その理屈はわかる。けれど、医療は進み過ぎた。本来ならば、とっくに死んでいるべき人間を医学的には生きている状態にしておくことができるまでに進んでしまった。今更進んでしまった医療を戻すことはできない。だったら、この状況を前提に話し合うしかないだろう？　患者が苦痛しか感じないようなその状態は、自然に生まれたわけじゃない。進み過ぎた医療技術が作り出したんだ。だったら、その状態から解放してやるのも、また医者の義務だと思うね。医者は病気を診ているんじゃない。患者を診ているんだ。日本でも安楽死はもっと踏み込んで話し合われるべきだ」

話がすりかえられていた。

「安楽死の話じゃありません。まだ意識のある、これから頑張れば何ヶ月かは生きられる患者さんの話です」

「人は太陽と死を正視できないという。でも、どうあってもそれを見るしかない状況に追い込まれれば、ふっとね」

「はい？」

「死を受け入れられるときがあるんだよ。それはほんの短い時間かもしれない。そのときが過ぎれば、患者はまた死と向き合って苦しむことになる。ただ死んでいくだけの体を抱えながらね。だったら、その安らかな気持ちのときに、最小限の苦しみで殺してあげて、それで何がいけないんだ？　生きていることと、死んでいくことは違うんだよ」

こんな話題で折り合いをつけられるはずがなかった。五十嵐さんは確信犯だ。たぶん、水島さんだって彼が殺している。それ以前、アメリカへ行く前にだって何人かの人を殺しているのだろう。そんな五十嵐さんの哲学を僕が曲げられるとも思っていなかったし、曲げようとも思っていなかった。このゲームに最初から僕の勝ちはないのだ。

「理屈はどうあれ、あなたがやっているのは、立派な殺人です」

「だから、僕はやってないよ、そんなこと。そう考えるというだけでね。それとも」

五十嵐さんはにっこり笑って、ゲームを終わらせにかかった。

「何か僕がやったという証拠でもあるのかい？」

「ありませんよ。でも探します」

「見つかるかな？」

「証拠を残すほど、あなたが間抜けだとは思っていません。でも、仮にあなたが有馬さんを殺せば、有馬さんを解剖してもらいます。絞め殺すわけじゃないでしょう。薬物ですか？　高濃度のカリウムを使えば、心停止を引き起こせるそうですね。有馬さんに心臓の調子が悪いふりをさせているのは、そのためなんじゃないですか？　どんな薬物を使っているにせよ、徹底的に調べれば何かが出てくるはずです」

それが僕の持っているぎりぎりのカードだった。

「仮に何かが出てきたところで、それがすぐさま僕がやった証拠になるとも思えないね」

もちろんそうだった。僕はただ、五十嵐さんが有馬さんを殺すことだけでも防ぐつもりだった。こう脅しておけば、有馬さんを殺すのは諦めてくれるかもしれない。そう思ったのだ。どうせ僕の持っているカードでは勝てはしない。だったら今回だけでもゲームから降りてもらうしかない。けれど、甘かった。

「第一」と五十嵐さんは言った。「有馬さんを解剖してもらうって、そんなこと、君にできるのか？　仮に、だよ。仮に有馬さんが明日亡くなられたところで、余命幾ばくもないはずの有馬さんが、医者の予想を超えて、ちょっとだけ早く亡くなられた。それだけのことだろう？　最近になってひどく体調を崩されているようだし、ことさら不審というほどのことでもない。有馬さんのご家族が解剖を拒否すれば、僕らに無理強いする権利はないよ」

「説得します。有馬さんの奥さんと、必要なら息子さんにも会って説得します。有馬さんの死には不審な点があると」

「二人は納得するかな？」

「有馬さんが会社経営に失敗して、二人の生活も苦しいはずです。有馬さんが渡したお金があるそうですけど、それにしたって母子二人の生活をずっと保証できるものではないはずです」

「だから？」

「だから、病院から慰謝料を取れるとなれば、二人は解剖に同意してくれるかもしれません」

「ほう」

僕の切ったカードにちょっと感心したような顔をして、すぐに五十嵐さんは自分のカードを切った。

「そうかな？　有馬さんはずいぶんと多額の保険に入っているそうだけど？　あれは息子さんのところへいくんじゃないのかな？」

その通りだった。そもそも有馬さんはそのために早い死を望んでいたのだ。五十嵐さんが切ったものより上のカードを僕は持っていなかった。けれど、五十嵐さんの切ったカードだって、僕より上というほどのものでもなかった。僕は同じカードを出し続けた。

「お金なんて、いくらあったって邪魔になるもんじゃないでしょう？　ましてや正当に受け取る権利のあるお金なら、誰だって拒否はしないはずです。必ず説得してみせます」

「ふうん」と相変わらずのんびりと五十嵐さんは呟いた。「有馬さんが遺言を残していても？」

「遺言？」

想像していなかったカードだった。

「病院というところはやたらと死んだ患者を解剖したがる。死んでまで体を切り刻まれるなど、私は断じて拒否する。たとえば、そんな遺言書があったら？　それでも二人は解剖に同意する？　その上、実際に患者を診ていた医者が、その死に不審がないと太鼓判を押したら？　ましてやその医者が患者の遠縁だったら？　それでも、よく知りもしない、清掃員の意見を尊重する？」

五十嵐さんの勝ちだった。僕に出せるカードは残っていなかった。僕がそう悟ったことを五十嵐さんも悟ったのだろう。五十嵐さんはにっこりとした。まあまあ、よくやったよ。そう称えるような笑みだった。

「どちらにしたところで、君の考え過ぎだよ。君の言う仕事人なんて存在しない。ただの噂さ」

五十嵐さんは僕の肩をぽんと叩いて、立ち上がった。

「こう見えて」と僕は言った。

喫煙所を出ようとしていた五十嵐さんが歩みを止めた。

「結構、強情なんです」

五十嵐さんはしばらく無表情に僕を眺め、言った。

「それにしたって、煙草はやめたほうがいいな。体に悪い」

五十嵐さんはマントのようにコートの裾をひるがえすと、喫煙所を出ていった。

5

タイミングが悪かったようだ。ちょうど事務長室を出たところで、戻ってきた事務長と鉢合わせになった。

「ええっと、と」

自分の部屋から出てきた僕をさほど不審がる様子がないのは、僕の顔くらいは見た覚えがあったからだろう。見事に禿げ上がった頭のてっぺんに手を置いて、事務長は言った。

「ごめん。誰だっけ?」

「清掃のアルバイトをさせていただいていた神田と申します。今月いっぱいで辞めることになったので、一言ご挨拶にと思ってうかがったのですけど、いらっしゃらなかったので、失礼しようかと思ったところです」

「挨拶?」

「ええ。辞めるものですから」

事務長は珍しい生き物でも見るように僕を見た。確かに、アルバイトを辞めるからといって、まともに言葉を交わしたこともない事務長のところまで挨拶にくるなんて、相当珍しい生き物だ。

「それはわざわざご苦労様。若いのにしっかりしているねえ」

「はあ」と僕は照れた。

「今月いっぱいっていうことは、もう来週で辞めちゃうのかい？」

「ええ。学業のほうが忙しくなりまして」

「真面目なんだねえ。どう？　手が空いたら、またうちでバイトしない？　事務のほうも人が足りないから。清掃よりはバイト代も出せると思うよ」

「それは是非」

「うん。待ってるよ」

僕は事務長に一礼して、その場を離れた。床を蹴るたびにスニーカーの底が立てる音が耳障りだった。自分がひどく無駄なことをしているような気がした。

廊下を歩いていると、向こうから五十嵐さんが看護婦さんと何やら喋りながらやってきた。互いに互いを視界の中央に置かないまま擦れ違おうとしたその一瞬に、僕らは申し合わせたように互いを見遣った。どちらも目を逸らさなかった。僕らはほとんど振り返るくらいまで相手の目を見ていた。歩みを止めたのもほとんど同時だった。睨み合う僕らに挟まれる格好になった看護婦さんが何事かと僕らを見比べた。体の向きは変えず、五十嵐さんが肩越しに言った。

「煙草はやめたかい?」

「言ったでしょう?」

僕も肩越しに答えた。

「こう見えて、結構、強情なんです」

ふん、と五十嵐さんは微かに鼻で笑ったようだ。

「長生きはしないな」

「どうでしょうね」

「お好きなように」

五十嵐さんが足早に歩き出し、取り残された看護婦さんが慌ててあとを追った。

あとやっておくべきことは、と、再び歩き出しながら僕は考えた。残念ながら、どう考えたって一つしかなかった。僕より強情な相手を懐柔しなければならない。

覗き込んだ店の中に森野はいた。机に向かって座り、何か書きものをしていた。森野の前に一人、竹井さんという古株の従業員がやはり机に向かっていた。僕は『森野葬儀店』と書かれたすりガラスの戸を引き開けた。森野が僕に目を向けた。その顔に一瞬、戸惑いが浮かんだ。カフェテリアで別れて以来、僕らは顔を合わせていなかった。

「ああ、文房具屋の」

竹井さんが顔を上げて言った。

「どうも」

僕は頭を下げた。何の用事か問いかけるように僕を見たあと、その視線を森野のもとに遣り、竹井さんは立ち上がった。

「社長、私はちょっと出てきます」

「どこへ？」と森野が言った。

「駅前のパチンコ屋、今日が新装開店なんですよ」

いつものようにひょろりと高い背を少しだけかがませて、竹井さんは椅子の背にかけていた上着を着込んだ。

「あそこはいつだって新装開店だろう？」

「ええ。だから私はいつも行ってるんです」

閉めますよ。寒いから。

戸を開けたまま戸口に立っていた僕の背を少し店の中に押しやるようにすると、竹井さんはすりガラスの戸を閉めて、駅のほうへ歩いていってしまった。たぶん、僕に気を遣ったのだろうが、表情を一つも変えぬまま、何の茶目っ気もなくそう言われると、本当にパチンコ屋へ行きたかっただけなのかもしれないと思えてくる。

何だかなあ、と森野はその背を見て呟き、僕に視線を移した。

「よお」と取り敢えず僕は言った。

「ああ」と森野が返した。

「帳簿？」

近づいていって森野の手元を覗き込み、僕は聞いた。

「ああ。うん」と森野は頷いた。

僕はあいていた事務机の椅子を引き出して、勝手に腰を下ろした。店の中はしんとしていた。表の商店街もしんとしていた。

「暇そうだな」

何となく店を見回しながら僕は言った。

「放っとけ。年末年始の書き入れ時前でな。毎年、この時期は暇なんだよ」

持っていたボールペンを放り出して、森野は言った。

「どうなの？　商売」

「まあ、それなりに何とか、な。あんまり儲けても後ろ指さされる仕事だし」

「それもそうか」と僕は言った。

「うん」と森野は頷いた。

僕が物心ついたときからそこにかけられている大きな時計の振り子があっちとこっちとを単調に行き来していた。まるでもう十年も鳴ったことなんてないような顔をして、黒電話が机の上で丸まっていた。信用金庫からもらったらしいメモ帳には、半年前か半年先かの約束が記されていた。何の用、とは森野は聞かなかった。

「そっちは？」と森野は聞いた。「論文、できそうか？」

「ああ、うん。何とかね。形にはなりそう」

「そっか」

「うん」

森野の机にあった電話が大儀そうに鳴った。森野が受話器を取った。商売の相手らしい。お世話になっています、と森野が言った。

冷え込んできた陽気と景気を嘆くことから始まった話は、途中でついでのようにお金の話をはさみ、共通の知り合いらしい人の噂話へと続いた。受話器に向かって喋る森野は僕の知らない顔をしていた。夏の日、向かいのホームに立った姿を思い出した。

「何か、すごいな」

五分ほど話して受話器を置いた森野に僕は言った。

「何？」と森野が聞き返した。

「何ていうか、大人だ」

森野は笑った。

「これでも社長だからな」

机の上のパッケージを取ると、森野は僕に煙草を差し出した。僕が一本引き抜き、森野も一本口にくわえた。

「お前もすごいよ」

僕の煙草の先にライターを差し出し、自分の煙草にも火をつけて森野が言った。

「え？」

「留学とか論文とか奨学金とか、私には全然わかんない世界だ」

「ああ」と僕は言った。「うん」

「似たようなとこで生まれて、似たようなとこで育って、食ってきたもんだって大して変わんないだろうにな。何でこんなに違ってくるのかな」

「まったくだ」

がりがりという音に振り返ると、薄汚れた白い猫が店の戸の木枠に爪を立てていた。中から自分を見ている僕らに気がつくと、猫は少し気まずそうな顔をして商店街をどこへともなく歩いていった。

「正直に言うとな」

その猫を見送りながら、森野はぷかりと煙を吐き出した。

「ちょっと嫉妬してる」

「嫉妬？」と僕は聞き返した。

「お前は外の世界へ出ていく。私は年中寝ぼけているような商店街からそれを見送るしかない」

僕らの吐き出す煙草の煙が、絡み合ってどこかへと消えていった。

だろ」

「どこも変わりはしないよ。ここだって、どこだって。そこへ行けばそこの生活があるだけ
煙が目に入ったようだ。何度か瞬《まばた》きをしながら、何か愚痴っぽいな、私、と森野は笑った。

「愚痴を言うのはお前の役割なのにな」

「そんなのいつ決まったんだよ」

「ずっと前から決まってるんだよ」

机にあった灰皿で煙草の火を消しながら森野は言った。

「だから、ほら、話せよ」

「何を？」

「知らないよ。でも、何かあるんだろ？」

「どうしてそう思う？」

「お前はわかりやすいんだよ」

森野は自分の首に手を当てた。僕は首に当てていた手を離した。

「かなわないな」と僕は笑った。

「それも決まってるんだよ」と森野も笑った。

僕は椅子をそちらへと寄せて、森野の机の灰皿で煙草の火を消した。

ノックに答えた声には隠しようのない期待感があった。僕はドアを引き開けた。入ってきた僕を見て、有馬さんの顔が落胆に曇った。

「今日でアルバイトが終わりましたので、ご挨拶にうかがいました」

私服の僕を有馬さんはベッドに横になったまま無表情に見上げた。視線は僕の顔を素通りして、その向こうの壁を見ているようだった。有馬さんの世界に僕はいなかった。僕だけではなく、誰もいなかった。もはやその世界に入ることを許されているのは、ただ一人。黒衣の仕事人だけだった。

「どんなに待ったって、仕事人はきてくれませんよ」

「何の話かわからないが？」

「だったらいいんですけどね」

やはり有馬さんは僕を見てはいなかった。ただ仕事人という言葉に条件反射のように反応しただけのようだった。そのまま出ていこうとした僕を引き止めたのも、やはりただの条件反射だろう。

「何の話か知らないけど」

僕がドアに手をかけたところで有馬さんが言った。

「見ての通り暇なんだ。退屈しのぎに、その話、聞かせてくれないか」

僕はゆっくりとベッドの脇まで戻り、椅子に腰を下ろした。窓の向こうには、いつもと同じような夕陽があった。いつもと同じような夕陽は、それでもいつもより少しだけ冷淡に、世界と有馬さんの顔を赤に染めているように見えた。

「前にお話ししたでしょう？　仕事人の噂」

「死ぬ前に願い事をかなえてくれる黒衣の男」

「ええ。その仕事人は、実際には、死を前にした患者さんに対して、患者さんの望むときに死をもたらしてくれる。そういう人だったんです」

「羨ましい話だな」

「ある患者さんが、その仕事人に仕事を頼みました。少なくとも僕はそう思っています。そして仕事人はそれを受けた。僕としては、仕事を見届けるわけにはいきませんからね。邪魔をしようとしました。失敗したんですけど」

「わからないんだがね」

有馬さんは言った。

「死にたいと望んでいる人間がいる。殺してもいいと思っている人間がいる。どうして君にそれを止める権利があるんだ？」

「権利のことなんて知りませんよ」と僕は言った。「僕の気分の問題です」

「気分？」

有馬さんの声にわずかに感情がこもった。

「気分だって？」

「その人に簡単に死んで欲しくなかったんですよ」

わずかに顔を覗かせたその感情に向かって僕は語りかけた。

「死ぬことが怖くったって、耐え切れなくったって、どうしても死にたい事情があったって、人に頼んで殺してもらうなんて、そんな情けない死に方をして欲しくなかったんです。要するに、僕はその人のことが好きなんでしょう」

「好き？」

有馬さんは虚をつかれたように繰り返した。

「変ですか？　その人が死ぬことを止める理由としては、十分だと思いますけど」

有馬さんはゆっくりと首を振った。

「それが、その人の望んだことなんだろう？　その人が好きならば、その人の望むようにさせてやったらどうなんだ？」

「駄目ですね。少なくとも、僕は許せません。言ったでしょう？　僕の気分の問題なんですよ」

「その人に同情するね」と有馬さんは吐き捨てた。「勝手に好意を押し付けられたんじゃ、さぞかし迷惑だろう」

「そうかもしれませんね」と僕は笑った。「でも、人間が生きていくって、そういうことでしょう？　その人が生きていなければ、僕だってその人と知り合うこともなかったし、その人と喋ることもなかったし、その人に好意的な感情を持つこともなかった。生きていれば、その自分の知らないところで、自分に対する好意とか悪意とか善意とか害意とか、そういうものが生まれていく。だったら、僕の好意的な感情について、その人が生きていたことにも責任の一端はある。責任の話をするのなら、そっちのほうでしょう。自分の勝手な事情で、自分で勝手に死にたいのなら、自分が関わったすべての人の同意を取り付けるべきです」

「無茶苦茶な理屈だ」

「だから理屈じゃないんですって」と僕は言った。「僕の気分の問題です。僕はその人に死んで欲しくなかった。ましてやそんな死に方をして欲しくなかった。そのために勝手な理屈をつけてるんです。無茶苦茶なのは当たり前です」

有馬さんはしばらく唇を噛んで天井を眺めた。それからふと思い当たったように言った。

「でも、君は仕事人を止めることに失敗したと言わなかったか？」

「ええ。失敗しました」

「だったら、仕事人はいずれ仕事をするんじゃないかな」

「しないと思いますよ。たぶん、約束の期日は越えていると思うんですけど、仕事はまだしていないようですし。その患者さん、たぶん仕事人にそう言われたからだろうと思うんですけど、実際の病状よりずっと悪いふりをしているんです。急死しても不審がられないようにでしょう。ただ、それももうだいぶ長くなりましたからね。看護婦さんたちからも疑われ始めています。だから、その患者さんが仕事人と約束していた期日は、もっと前だったんでしょう。今、仕事人が仕事をしたら、かえって不審がられると思います」

「それでも、これからするかもしれない」

「しないでしょう」

「なぜそう思う？」

「よくわからないですけどね。たとえば、警察に匿名の電話でも入ったのかもしれません」

「匿名の電話？」

「患者を患者の同意のもとに殺している医師がいる。急死した患者のことを調べてみろ。そんな電話です。相手は名乗らなかったけれど、警察が番号を調べてみたら、それは病院の事務長室の電話だったりしたのかもしれません。公衆電話でも、病院にある他の電話でもなく、よりによって事務長室の電話。となれば、事務長本人かどうかは別にしても、病院内部の人間がかけた可能性が高い。だったら、少しは信憑性《しんぴょうせい》のある話かもしれない。たとえば、警察はそう考えたりしたのかもしれません」

「仮に警察がそう考えたとして」と有馬さんは少し考えてから言った。「調べられてすぐにばれるような証拠を残すほど、軽率な人間かね。仕事人は」

「軽率とは思えませんね」と僕は同意した。「きっと慎重な人でしょう」

「私もそう思うよ」

「警察が正面から事情聴取に来るのか、密かに内偵を始めるのかは知りませんけど、どちらにしても気づくでしょう。慎重な人だから。気づけば、当分は動かないでしょう。たぶん、向こう半年は何もしないんじゃないですかね。慎重な人だから」

有馬さんは一瞬、言葉を失ったようだが、何とか反論を試みた。

「そんな密告電話の一本で、警察は本当に動くのかね」

「ここに出入りしている業者の一人が、最近、病院の駐車場でよく不審な車両を見かけるんだそうです。何げない風を装いながら覗き込んでみると、その車両には必ず二人か三人の男が乗っていて、大きな無線なんかがついてたりしたそうです。まるで覆面パトカーみたいだって、そんな話を事務局の事務員を片っ端から捕まえて喋っているそうですよ。本当かどうかは知りませんけどね。その業者の人の見間違いってこともあるでしょうし。ただ、そんな話が噂になって、仕事人の耳にも入ったのかもしれません。そうなったら、動きたくても動けないでしょうね。慎重な人だから」

僕が言葉を終えても、無表情のままに有馬さんはしばらく天井を眺めていた。僕はじっと待った。結局のところ、それは有馬さんの問題だった。僕は待つしかなかった。待ってそれでも駄目だったら、また別の手を考えるしかない。

長い時間が経った。有馬さんの表情は変わらなかった。まるで天井を見上げたまま死んでしまったようだった。夕陽が死化粧のようにその顔を赤に染めていた。僕がほとんど諦めかけたとき、有馬さんの顔に表情が戻った。微かに動いた頰は、ゆっくりと苦笑に形を変えた。それはさっきまでの笑みとは違っていた。苦い笑みではあっても、それは僕の見知っている有馬さんの笑みだった。

「どうやら君の勝ちのようだな」

有馬さんは言った。

「何です？」

僕は聞いた。

「何でもない。病人の独り言だよ」

有馬さんは上半身を起こし、長い長いため息をついた。

「少し窓を開けてくれないか？」

僕はためらった。

「今日は寒いですよ」

「少し頭を冷やしたい」

「風もあるし」

「構わないよ」

「本当に飛び降りません？」

「そこまで悪あがきはしない」

憮然とした顔をした有馬さんに笑い返し、僕は歩いていって、窓を開けた。吹き込んできた風は思った通り冷たかったが、思った以上ではなかった。僕は窓際に立って、しばらくその風に吹かれていた。冷たい風が僕と僕以外の境界を際立たせた。

「君は」と窓の外に目を遣った有馬さんが呟いた。「少し変わったのかな」

「ええ」と僕は頷いた。「生きてますから」

「そうか」

有馬さんは頷いて、微笑んだ。

「私は、変われるかな」

「大丈夫でしょう」と僕は頷いた。「まだ生きてますから」

「まだ生きてる」

有馬さんは頷いた。

「そうだな。まだ生きてる」

「あいにくと」と僕は笑って付け足した。

「そう。あいにくと」と有馬さんは微笑んだ。「一つ聞いても?」

「どうぞ」

「死ぬまさにその瞬間、君は何を考えると思う?」

「わかりませんよ、そんなこと」と僕は笑った。「どうせ死ぬときになれば嫌でもわかるでしょう」

一瞬、ぽかんと僕を眺めた有馬さんは、やがてクックッと笑い声を立てて頷いた。久しぶりに聞く有馬さんの笑い声だった。

「それはそうだな」

有馬さんは何度も頷いた。

「それはそうだ」

見下ろす中庭の木々はだいぶ葉を落としていた。もうじき当たり前に冬がやってきて、春がやってきて、やがてその季節の中に有馬さんはいなくなるのだろう。それでも当たり前に夏がきて、また秋が訪れて、何度も当たり前に繰り返される季節の中に、いつか僕もいなくなるのだろう。やがて死んでいく人間なんてどこにもいはしない。そこにはただ、今を生きている人間がいるだけだ。

「ああ」

中庭を抜けてくる二人を見て取って、僕は言った。

「うん？」

「奥さんと、あれは息子さんでしょうね。確かにかわいい顔をしてます。奥さんに似られたんですね」

「それはないだろう」と有馬さんは笑った。

「僕が言ったんじゃないですよ。他の人がそう言ってたんです」

ベッドから立ち上がり、こちらに歩いてこようとした有馬さんを腕についたチューブが引き止めた。有馬さんが忌々しそうに舌打ちした。

「これ、勝手に取ってもいいものかな」

「一応、看護婦さんを呼んだほうがいいんじゃないですか」

「そうだよな」

有馬さんがナースコールを押し、看護婦さんを呼ぶのを待って、僕は言った。

「じゃあ、僕はそろそろ」

「ああ。お世話になったね」

「またきます」

僕はドアに手をかけた。

「またって、アルバイトは今日で辞めるんだろう？」

「お見舞いにですよ。今度は、関西人二人組撃退方法について話し合いましょう。実は秘策があります」

「どんな？」

「金盥《かなだらい》を使うんですけど」

僕は引き開けたドアの上の桟を指した。

「それはいい手だ」と有馬さんは噴き出した。「ついでに水も入れておこう。いや、墨汁のほうがいいか」

「ちょっとオーソドックス過ぎますかね。今度くるときまでに、何か別な手も考えておきます」

「そう」と有馬さんは微笑んだ。「待ってるよ」

「失礼します」

僕は特別室を出た。擦れ違った看護婦さんに軽く会釈をし、静かな廊下を歩いた。どんなに強がったって、有馬さんにはこれからタフな現実が待ち受けている。いっときは死んですら直面することを避けようとしていた現実だ。そう思うと、僕は憂鬱になった。

病院の建物を出たところに、森野が立っていた。壁に寄りかかって煙草をふかしていた森野は、僕を見つけるところちらへやってきた。

「今日で最後だろ？　迎えにきてやったぞ。感謝しろ」

出入り口の脇にあった灰皿に煙草を捨てて、森野はしげしげと僕の顔を覗き込んだ。

「どうした、浮かない顔して」

「浮かない顔、してるか？」

「首に手」

僕は苦笑しながら、首に当てていた手を離した。

「何だよ？」と森野は言った。「話してみな」

「信じてやったことだけれど、それで本当に正しかったのかどうか、やってみたあとでもよくわからないことってあるだろう？」

森野はしばらくの間、それに当てはまる事例を考えていたようだが、やがて頷いた。

「あるな」と森野は言った。「故人が生前にどうしてもって言っていたっていうから、くじら幕の代わりに紅白の幕を張って、木魚の代わりに和太鼓を叩かせて、坊主にラップ風に経を読ませたんだけどな、あれはやっぱりまずかったのかもしれないな。参列者も乗っていいものかどうか、困ってるみたいだったしな」

ちょっと違うような気もしたが、その事例で妥協しておいた。

「まあ、そういうこと」

「それは、私が広めさせられた嘘の噂話にも関係あるのか？」

「ある」

「車できてるんだ。話は車で聞くよ。寒いや」

森野は顎をしゃくって、駐車場のほうへ歩き出した。森野が乗ってきたのは、店で使っている黒いワゴン車だった。普段は病院から遺体を運ぶときに使っている車だ。森野が運転席に収まり、僕は助手席に乗り込んだ。

「ちゃんとシートベルトしろよ」

自分もしっかりとシートベルトを締めながら、森野は言った。

「ええと、免許は持ってるよな？」と僕は確認した。

「持ってるさ。今まで無事故無違反だ」

「ならいいけど」

両手でしっかりとハンドルを握り、少し座席から身を乗り出して、森野はゆっくりと駐車場から車を出した。公道に出た途端、森野はハンドルにしがみつくようにして身を乗り出し、忙《せわ》しなく左右に目を配り始めた。その姿を眺め、僕は念のためにもう一度確認した。

「免許、本当に持ってるよな？」

「持ってるよ」

「無事故無違反？」

「そうだよ」

「何をそんなに緊張してるんだ？」

「免許取ってから初めてなんだよ。運転するの」

「頼む。停めてくれ」

「一人にするな。私は右のほうを見てるから、お前、ちゃんと左のほうを見ててくれ」

「左のほうって」

「どっかその辺りだよ」と僕の顔の前辺りで手を回した森野は、右の道から飛び出してきた車に、慌てて両手でハンドルを握り直した。

赤信号につかまり、森野は停止線のかなり手前で車を停めて、ようやくハンドルから解放された両手を組んで回した。

「何だよ」

ハブとの間合いをはかるマングースのように赤信号を睨みつけたまま、その森野の横顔をしばらく黙って眺めていた僕に森野は言った。

「気絶したか？」

「してないよ」と僕は言った。

「じゃあ、話せよ。さっきの続き」

「うん？」

「何たらかんたらグタグタ言ってたろ？　お前の悩み事」

信号が青になり、また森野はしっかりとハンドルを握り締めて、車を出した。ゆっくりと走る僕らの車に背後からクラクションが鳴らされていた。窓の脇を自転車が追い抜いていった。

「まあ、ゆっくり話すよ。先は長そうだし」

少しシートを傾けて、どこからどこまで話したものか考えながら僕は言った。

「一人でリラックスするな、馬鹿」

森野は僕の膝を叩いた。

「運命共同体だからな」

「わかってるよ」と僕は笑った。「ここら辺りを見てればいいんだろ？」

どこから話すのかはもう決まっていた。一番頭からだ。けれど、どこまで話すのかは決めかねていた。一番最後の部分。ほとんどフロントガラスにおでこをくっつけそうになりながら、必死の形相でハンドルを握る幼馴染の横顔がびっくりするくらい可愛く見えたことまで、さて、話してしまっていいものかどうか。

どうせ先は長い。おいおい考えよう。

取り敢えずそう決めて、僕は喋り始めた。

「あの病院にはね、以前から語り継がれている一つの噂話があったんだ……」

本作品は二〇〇二年八月、集英社より刊行されました。

本多孝好

WILL

29歳になった森野は、11年前に亡くなった両親の跡を継いで葬儀店を営んでいる。そんな彼女のもとに持ち込まれる、死者にまつわる不思議な話の数々。感動のベストセラー『MOMENT』の姉妹編。

集英社文庫

本多孝好

正義のミカタ　I'm a loser

僕、蓮見亮太18歳。高校時代まで筋金入りのいじめられっ子。一念発起して大学を受験し、やっと通称スカ大に合格。「正義の味方研究部」に入部し、次々と事件に関わっていく。傑作青春小説。

集英社文庫

集英社文庫　目録（日本文学）

集英社文庫　目録（日本文学）

益田ミリ　泣き虫チエ子さん 愛情編
益田ミリ　泣き虫チエ子さん 旅情編
益田ミリ　かわいい見聞録
枡野浩一　ショートソング
枡野浩一　石川くん
枡野浩一　淋しいのはお前だけじゃな
枡野浩一　僕は運動おんち
増山実　波の上のキネマ
又吉直樹・堀本裕樹　芸人と俳人
町屋良平　坂下あたると、しじょうの宇宙
町山智浩　アメリカは今日もステロイドを打つ USAスポーツ狂騒曲
町山智浩　トラウマ映画館
町山智浩　トラウマ恋愛映画入門
町山智浩　最も危険なアメリカ映画
松井今朝子　非道、行ずべからず
松井今朝子　家、家にあらず

松井今朝子　道絶えずば、また
松井今朝子　壺中の回廊
松井今朝子　師父の遺言
松井今朝子　芙蓉の干城
松井今朝子　歌舞伎の中の日本
松井玲奈　カモフラージュ
松井玲奈　累々
松浦晋也　母さん、ごめん。 50代独身男の介護奮闘記
松浦弥太郎　本業失格
松浦弥太郎　くちぶえサンドイッチ 松浦弥太郎随筆集
松浦弥太郎　最低で最高の本屋
松浦弥太郎　場所はいつも旅先だった
松浦弥太郎　いつもの毎日。 衣食住と仕事
松浦弥太郎　日々の100
松浦弥太郎　松浦弥太郎の新しいお金術
松浦弥太郎　続・日々の100

松浦弥太郎　おいしいおにぎりが作れるならば。 「暮しの手帖」での日々を綴ったエッセイ集
松浦弥太郎　「自分らしさ」はいらない くらしと仕事、成功のレッスン
松岡修造　テニスの王子様勝利学
松岡修造　教えて、修造先生！ 心が軽くなる87のことば
フレディ松川　老後の大盲点
フレディ松川　ここまでわかった ボケる人ボケない人
フレディ松川　好きなものを食べて長生きできる 長寿の新栄養学
フレディ松川　60歳でボケる人 80歳でボケない人
フレディ松川　はっきり見えたボケの入口 ボケの出口
フレディ松川　わが子の才能を伸ばす親 つぶす親
フレディ松川　不安を晴らす3つの処方箋 認知症外来の午後
松樹剛史　ジョッキー
松樹剛史　スポーツドクター
松樹剛史　GO-ONE
松樹剛史　エアエイジ
松澤くれは　りさ子のガチ恋♡俳優沼

集英社文庫

MOMENT《モーメント》

2005年9月25日　第1刷
2025年8月13日　第34刷

定価はカバーに表示してあります。

著　者　本多孝好《ほんだたかよし》

発行者　樋口尚也

発行所　株式会社　集英社
東京都千代田区一ツ橋2-5-10　〒101-8050
電話【編集部】03-3230-6095
【読者係】03-3230-6080
【販売部】03-3230-6393(書店専用)

印　刷　TOPPANクロレ株式会社

製　本　TOPPANクロレ株式会社

フォーマットデザイン　アリヤマデザインストア　　マークデザイン　居山浩二

ISBN978-4-08-747859-4 C0193